Classiques & Cie

L'Illusion comique (1639)
Pierre Corneille

Collection dirigée par
Marc Robert et Henri Marguliew

Notes et dossier
Delphine Reguig-Naya
agrégée de lettres modernes

HATIER

Conception graphique de la maquette :
c-album, Jean-Baptiste Taisne, Rachel Pfleger
Principe de couverture : Double
Mise en pages : Chesteroc International Graphics
Suivi éditorial : Isabelle Chave

© Hatier Paris, 2002
ISBN : 978-2-218-73937-8

L'ŒUVRE DANS UN GENRE

VERS L'ÉPREUVE :
ARGUMENTER, COMMENTER, RÉDIGER

L'ILLUSION COMIQUE

Ce texte est conforme à la première édition de 1639.

À Mademoiselle M.F.D.R. [1]

Mademoiselle,

Voici un étrange monstre que je vous dédie. Le premier acte n'est qu'un prologue, les trois suivants font une comédie imparfaite, le dernier est une tragédie, et tout cela cousu ensemble fait une comédie. Qu'on en nomme l'invention bizarre et extravagante tant qu'on voudra, elle est nouvelle, et souvent la grâce de la
5 nouveauté parmi nos Français n'est pas un petit degré de bonté. Son succès ne m'a point fait de honte sur le théâtre, et j'ose dire que la représentation de cette pièce capricieuse ne vous a point déplu, puisque vous m'avez commandé de vous en adresser l'épître quand elle irait sous la presse. Je suis au désespoir de vous la
10 présenter en si mauvais état, qu'elle en est méconnaissable : la quantité de fautes que l'imprimeur a ajoutées aux miennes la déguise, ou pour mieux dire, la change entièrement. C'est l'effet de mon absence de Paris, d'où mes affaires m'ont rappelé sur le point qu'il l'imprimait, et m'ont obligé d'en abandonner les
15 épreuves à sa discrétion. Je vous conjure de ne la lire point que vous n'ayez pris la peine de corriger ce que vous trouverez marqué en suite de cette épître. Ce n'est pas que j'y aie employé toutes les fautes qui s'y sont coulées : le nombre en est si grand qu'il eût épouvanté le lecteur, j'ai seulement choisi celles qui peuvent
20 apporter quelque corruption notable au sens, et qu'on ne peut pas deviner aisément. Pour les autres qui ne sont que contre la rime, ou l'orthographe, ou la ponctuation, j'ai cru que le lecteur

---

1. *M.F.D.R.* : la critique n'a pas réussi à identifier la personne désignée par ces initiales.

judicieux y suppléerait sans beaucoup de difficulté, et qu'ainsi il n'était pas besoin d'en charger cette première feuille. Cela ²⁵ m'apprendra à ne hasarder plus de pièces à l'impression durant mon absence. Ayez assez de bonté pour ne dédaigner pas celle-ci, toute déchirée qu'elle est, et vous m'obligerez d'autant plus à demeurer toute ma vie,

Mademoiselle,

³⁰ Le plus fidèle et le plus passionné de vos serviteurs,

Corneille.

Personnages

ALCANDRE, *magicien*.
PRIDAMANT, *père de Clindor*.
DORANTE, *ami de Pridamant*.
MATAMORE, *capitan gascon, amoureux d'Isabelle*.
CLINDOR, *suivant du capitan et amant d'Isabelle*.
ADRASTE, *gentilhomme amoureux d'Isabelle*.
GÉRONTE, *père d'Isabelle*.
ISABELLE, *fille de Géronte*.
LYSE, *servante d'Isabelle*.

GEÔLIER *de Bordeaux*.
PAGE *du capitan*.
ROSINE, *princesse d'Angleterre, femme de Florilame*.
ÉRASTE, *écuyer de Florilame*.
TROUPE *de domestiques d'Adraste*.
TROUPE *de domestiques de Florilame*.

Acte premier

Scène première

PRIDAMANT, DORANTE

DORANTE

Ce grand mage dont l'art commande à la nature
N'a choisi pour palais que cette grotte obscure ;
La nuit qu'il entretient sur cet affreux séjour,
N'ouvrant son voile épais qu'aux rayons d'un faux jour,
5 De leur éclat douteux n'admet en ces lieux sombres
Que ce qu'en peut souffrir le commerce des ombres.
N'avancez pas, son art au pied de ce Rocher
A mis de quoi punir qui s'en ose approcher,
Et cette large bouche est un mur invisible,
10 Où l'air en sa faveur devient inaccessible,
Et lui fait un rempart dont les funestes bords
Sur un peu de poussière étalent mille morts.
Jaloux de son repos plus que de sa défense,
Il perd qui l'importune ainsi que qui l'offense,
15 Si bien que ceux qu'amène un curieux désir
Pour consulter Alcandre attendent son loisir.
Chaque jour il se montre, et nous touchons à l'heure
Que[1] pour se divertir il sort de sa demeure.

---

1. *À l'heure que* : à l'heure où.

PRIDAMANT

J'en attends peu de chose et brûle de le voir,
20 J'ai de l'impatience et je manque d'espoir.
Ce fils, ce cher objet de mes inquiétudes,
Qu'ont éloigné de moi des traitements trop rudes,
Et que depuis dix ans je cherche en tant de lieux
A caché pour jamais sa présence à mes yeux.
25 Sous ombre qu'il prenait un peu trop de licence [1],
Contre ses libertés je roidis ma puissance,
Je croyais le réduire à force de punir,
Et ma sévérité ne fit que le bannir.
Mon âme vit l'erreur dont elle était séduite [2],
30 Je l'outrageais présent et je pleurai sa fuite :
Et l'amour paternel me fit bientôt sentir
D'une injuste rigueur un juste repentir.
Il l'a fallu chercher, j'ai vu dans mon voyage
Le Pô, le Rhin, la Meuse, et la Seine, et le Tage,
35 Toujours le même soin [3] travaille mes esprits,
Et ces longues erreurs [4] ne m'en ont rien appris.
Enfin au désespoir de perdre tant de peine,
Et n'attendant plus rien de la prudence humaine,
Pour trouver quelque fin à tant de maux soufferts,
40 J'ai déjà sur ce point consulté les Enfers,
J'ai vu les plus fameux en ces noires sciences,
Dont vous dites qu'Alcandre a tant d'expérience.
On en faisait l'état que vous faites de lui,
Et pas un d'eux n'a pu soulager mon ennui.
45 L'Enfer devient muet quand il me faut répondre [5],
Ou ne me répond rien qu'afin de me confondre.

DORANTE

Ne traitez pas Alcandre en homme du commun,
Ce qu'il sait en son art n'est connu de pas un.

---

1. *Sous ombre qu'il prenait un peu trop de licence* : sous prétexte qu'il prenait un peu trop de liberté.
\ 2. *Séduite* : trompée. \ 3. *Soin* : souci. \ 4. *Erreurs* : errances. \ 5. *Quand il me faut répondre* : quand il faut me répondre.

Je ne vous dirai point qu'il commande au tonnerre,
50 Qu'il fait enfler les mers, qu'il fait trembler la terre,
Que de l'air qu'il mutine en mille tourbillons
Contre ses ennemis il fait des bataillons,
Que de ses mots savants les forces inconnues
Transportent les rochers, font descendre les nues,
55 Et briller dans la nuit l'éclat de deux Soleils.
Vous n'avez pas besoin de miracles pareils,
Il suffira pour vous qu'il lit dans les pensées,
Et connaît l'avenir et les choses passées,
Rien n'est secret pour lui dans tout cet Univers,
60 Et pour lui nos destins sont des livres ouverts.
Moi-même ainsi que vous je ne pouvais le croire,
Mais sitôt qu'il me vit, il me dit mon histoire,
Et je fus étonné d'entendre les discours
Des traits les plus cachés de mes jeunes amours.

PRIDAMANT

65 Vous m'en dites beaucoup.

DORANTE

J'en ai vu davantage.

PRIDAMANT

Vous essayez en vain de me donner courage,
Mes soins et mes travaux[1] verront sans aucun fruit
Clore mes tristes jours d'une éternelle nuit.

DORANTE

Depuis que j'ai quitté le séjour de Bretagne
70 Pour venir faire ici le Noble de Campagne,
Et que deux ans d'amour par une heureuse fin
M'ont acquis Silvérie et ce château voisin,
De pas un, que je sache, il n'a déçu l'attente.
Quiconque le consulte en sort l'âme contente,
75 Croyez-moi, son secours n'est pas à négliger :
D'ailleurs il est ravi quand il peut m'obliger[2],

---

1. *Mes soins et mes travaux* : mes peines et mes fatigues. \ **2.** *M'obliger* : m'être agréable.

Et j'ose me vanter qu'un peu de mes prières
Vous obtiendra de lui des faveurs singulières.

PRIDAMANT

Le sort m'est trop cruel pour devenir si doux.

DORANTE

80 Espérez mieux, il sort, et s'avance vers vous.
Regardez-le marcher : ce visage si grave,
Dont le rare savoir tient la nature esclave,
N'a sauvé toutefois des ravages du temps
Qu'un peu d'os et de nerfs qu'ont décharnés cent ans,
85 Son corps malgré son âge a les forces robustes,
Le mouvement facile et les démarches justes ;
Des ressorts inconnus agitent le vieillard,
Et font de tous ses pas des miracles de l'art.

Scène 2

ALCANDRE, PRIDAMANT, DORANTE

DORANTE

Grand Démon du savoir de qui les doctes veilles
90 Produisent chaque jour de nouvelles merveilles,
À qui rien n'est secret dans nos intentions,
Et qui vois sans nous voir toutes nos actions,
Si de ton art divin le pouvoir admirable
Jamais en ma faveur se rendit secourable,
95 De ce père affligé soulage les douleurs :
Une vieille amitié prend part en ses malheurs
Rennes ainsi qu'à moi lui donna la naissance,
Et presque entre ses bras j'ai passé mon enfance ;
Là de son fils et moi naquit l'affection,
100 Nous étions pareils d'âge et de condition...

ALCANDRE

Dorante, c'est assez, je sais ce qui l'amène,
Ce fils est aujourd'hui le sujet de sa peine.

Vieillard, n'est-il pas vrai que son éloignement
Par un juste remords te gêne incessamment[1],
105　Qu'une obstination à te montrer sévère
L'a banni de ta vue et cause ta misère,
Qu'en vain au repentir de ta sévérité[2],
Tu cherches en tous lieux ce fils si maltraité ?

PRIDAMANT

Oracle de nos jours qui connais toutes choses,
110　En vain de ma douleur je cacherais les causes,
Tu sais trop quelle fut mon injuste rigueur,
Et vois trop clairement les secrets de mon cœur :
Il est vrai, j'ai failli[3], mais pour mes injustices
Tant de travaux en vain sont d'assez grands supplices.
115　Donne enfin quelque borne à mes regrets cuisants,
Rends-moi l'unique appui de mes débiles ans[4],
Je le tiendrai rendu[5] si j'en sais des nouvelles,
L'amour pour le trouver me fournira des ailes.
Où fait-il sa retraite ? en quels lieux dois-je aller ?
120　Fût-il au bout du monde, on m'y verra voler.

ALCANDRE

Commencez d'espérer, vous saurez par mes charmes[6]
Ce que le Ciel vengeur refusait à vos larmes,
Vous reverrez ce fils plein de vie et d'honneur,
De son bannissement il tire son bonheur.
125　C'est peu de vous le dire, en faveur de Dorante
Je veux vous faire voir sa fortune éclatante.
Les novices de l'art avecque[7] leurs encens
Et leurs mots inconnus qu'ils feignent tous-puissants[8],
Leurs herbes, leurs parfums, et leurs cérémonies,
130　Apportent au métier des longueurs infinies,

---

1. *Te gêne incessamment* : te tourmente sans cesse. \ **2.** *Au repentir de ta sévérité* : en te repentant de ta sévérité. \ **3.** *J'ai failli* : j'ai mal agi. \ **4.** *Mes débiles ans* : ma vieillesse. \ **5.** *Je le tiendrai rendu* : je le considérerai comme retrouvé. \ **6.** *Mes charmes* : mes pouvoirs magiques. \ **7.** *Avecque* : jusqu'à la fin du XVIIe siècle, les deux formes *avec* et *avecque* sont jugées correctes par les grammairiens. \ **8.** *Tous-puissants* : au XVIIe siècle, « tout », considéré comme un adjectif, s'accorde.

Qui ne sont après tout qu'un mystère pipeur [1]
Pour les faire valoir et pour vous faire peur ;
Ma baguette à la main, j'en ferai davantage.

Il donne un coup de baguette, et on tire un rideau, derrière lequel sont en parade les plus beaux habits des Comédiens.

Jugez de votre fils par un tel équipage.
135 Eh bien, celui d'un Prince a-t-il plus de splendeur ?
Et pouvez-vous encor douter de sa grandeur ?

PRIDAMANT

D'un amour paternel vous flattez les tendresses,
Mon fils n'est point de rang à porter ces richesses,
Et sa condition ne saurait endurer
140 Qu'avecque tant de pompe il ose se parer.

ALCANDRE

Sous un meilleur destin sa fortune rangée
Et sa condition avec le temps changée,
Personne maintenant n'a de quoi murmurer
Qu'en public de la sorte il ose se parer.

PRIDAMANT

145 À cet espoir si doux j'abandonne mon âme,
Mais parmi ces habits je vois ceux d'une femme :
Serait-il marié ?

ALCANDRE
                              Je vais de ses amours
Et de tous ses hasards vous faire le discours.
Toutefois si votre âme était assez hardie,
150 Sous une illusion [2] vous pourriez voir sa vie,
Et tous ses accidents [3] devant vous exprimés
Par des spectres pareils à des corps animés ;
Il ne leur manquera ni geste, ni parole.

---

1. *Pipeur* : trompeur. \ **2.** *Une illusion* : une apparence illusoire. \ **3.** *Ses accidents* : les événements de sa vie, ses aventures.

PRIDAMANT

Ne me soupçonnez point d'une crainte frivole :
155 Le portrait de celui que je cherche en tous lieux
Pourrait-il par sa vue épouvanter mes yeux ?

ALCANDRE, *à Dorante*

Mon Cavalier, de grâce, il faut faire retraite,
Et souffrir qu'entre nous l'histoire en soit secrète.

PRIDAMANT

Pour un si bon ami je n'ai point de secrets.

DORANTE

160 Il vous faut sans réplique accepter ses arrêts [1].
Je vous attends chez moi.

ALCANDRE

Ce soir, si bon lui semble,
Il vous apprendra tout quand vous serez ensemble.

Scène 3

ALCANDRE, PRIDAMANT

ALCANDRE

Votre fils tout d'un coup ne fut pas grand seigneur,
Toutes ses actions ne vous font pas honneur,
165 Et je serais marri d'exposer sa misère
En spectacle à des yeux autres que ceux d'un père.
Il vous prit quelque argent, mais ce petit butin
À peine lui dura du soir jusqu'au matin.
Et pour gagner Paris il vendit par la plaine
170 Des brevets [2] à chasser la fièvre et la migraine,
Dit la bonne aventure, et s'y rendit ainsi.

---

1. *Arrêts* : ordres. \ **2.** *Brevets* : billets contenant une formule magique propre à guérir les maladies.

Là, comme on vit d'esprit, il en vécut aussi ;
Dedans Saint-Innocent il se fit Secrétaire[1],
Après, montant d'état, il fut Clerc d'un Notaire ;
175 Ennuyé de la plume, il la quitta soudain,
Et dans l'Académie[2] il joua de la main.
Il se mit sur la rime[3], et l'essai de sa veine
Enrichit les chanteurs de la Samaritaine[4] :
Son style prit après de plus beaux ornements,
180 Il se hasarda même à faire des Romans,
Des chansons pour Gautier, des pointes pour Guillaume[5],
Depuis il trafiqua de chapelets de baume,
Vendit du mithridate[6] en maître Opérateur[7],
Revint dans le Palais et fut Solliciteur[8] ;
185 Enfin jamais Buscon, Lazarille de Tormes,
Sayavèdre et Gusman[9] ne prirent tant de formes :
C'était là pour Dorante un honnête entretien !

PRIDAMANT

Que je vous suis tenu[10] de ce qu'il n'en sait rien !

ALCANDRE

Sans vous faire rien voir, je vous en fais un conte
190 Dont le peu de longueur épargne votre honte :
Las de tant de métiers sans honneur et sans fruit,
Quelque meilleur destin à Bordeaux l'a conduit,
Et là, comme il pensait au choix d'un exercice[11],
Un brave[12] du pays l'a pris à son service.
195 Ce guerrier amoureux en a fait son Agent,
Cette commission l'a remeublé d'argent,
Il sait avec adresse, en portant les paroles,

---

1. *Secrétaire* : des écrivains publics travaillaient dans les galeries du cloître de Saint-Innocent.
\ **2.** *L'Académie* : tout lieu où l'on se réunit, en particulier pour jouer. \ **3.** *Il se mit sur la rime* : il se fit poète. \ **4.** *Enrichit les chanteurs de la Samaritaine* : il écrivit pour les chanteurs de rue qui se produisaient près de la fontaine de la Samaritaine, sur le Pont-Neuf. \ **5.** *Gautier, Guillaume* : allusions à deux comédiens contemporains célèbres pour leur jeu dans les farces. \ **6.** *Mithridate* : contrepoison. \ **7.** *Maître Opérateur* : charlatan. \ **8.** *Solliciteur* : avocat. \ **9.** *Buscon, Lazarille de Tormes, Sayavèdre, Gusman* : héros de trois des plus célèbres romans picaresques espagnols. \ **10.** *{Être} tenu* : être redevable. \ **11.** *Exercice* : métier. \ **12.** *Un brave* : un soldat.

De la vaillante dupe attraper les pistoles [1],
Même de son Agent il s'est fait son rival,
200 Et la beauté qu'il sert ne lui veut point de mal.
Lorsque de ses amours vous aurez vu l'histoire,
Je vous le veux montrer plein d'éclat et de gloire,
Et la même action qu'il pratique [2] aujourd'hui.

PRIDAMANT

Que déjà cet espoir soulage mon ennui !

ALCANDRE

205 Il a caché son nom en battant la campagne,
Et s'est fait, de Clindor, le sieur de la Montagne ;
C'est ainsi que tantôt vous l'entendrez nommer.
Voyez tout sans rien dire, et sans vous alarmer.
Je tarde un peu beaucoup pour votre impatience,
210 N'en concevez pourtant aucune défiance :
C'est qu'un charme ordinaire a trop peu de pouvoir
Sur les spectres parlants qu'il faut vous faire voir.
Entrons dedans ma grotte afin que j'y prépare
Quelques charmes nouveaux pour un effet si rare.

---

1. *Pistoles* : pièces de monnaie espagnole. \ 2. *La même action qu'il pratique* : l'action même
qu'il pratique.

Acte II

Scène première

ALCANDRE, PRIDAMANT

ALCANDRE

215 Quoi qui s'offre à vos yeux n'en ayez point d'effroi.
De ma grotte surtout ne sortez qu'après moi ;
Sinon, vous êtes mort. Voyez déjà paraître,
Sous deux fantômes vains[1], votre fils et son Maître.

PRIDAMANT

Ô Dieux ! je sens mon âme après lui s'envoler.

ALCANDRE

220 Faites-lui du silence et l'écoutez parler.

Scène 2

MATAMORE, CLINDOR

CLINDOR

Quoi ! Monsieur, vous rêvez ! et cette âme hautaine
Après tant de beaux faits semble être encore en peine !
N'êtes-vous point lassé d'abattre des guerriers,
Soupirez-vous après quelques nouveaux lauriers ?

___
1. *Vains* : sans réalité, qui font illusion.

MATAMORE

225 Il est vrai que je rêve, et ne saurais résoudre
Lequel je dois des deux le premier mettre en poudre,
Du grand Sophi de Perse [1], ou bien du grand Mogor [2].

CLINDOR

Et de grâce, Monsieur, laissez-les vivre encor !
Qu'ajouterait leur perte à votre renommée ?
230 Et puis quand auriez-vous rassemblé votre armée ?

MATAMORE

Mon armée ! Ah, poltron ! Ah, traître ! pour leur mort
Tu crois donc que ce bras ne soit pas assez fort !
Le seul bruit de mon nom renverse les murailles,
Défait les escadrons et gagne les batailles,
235 Mon courage invaincu contre les Empereurs
N'arme que la moitié de ses moindres fureurs ;
D'un seul commandement que je fais aux trois Parques [3],
Je dépeuple l'État des plus heureux Monarques ;
Le foudre est mon canon, les destins mes soldats ;
240 Je couche d'un revers mille ennemis à bas ;
D'un souffle je réduis leurs projets en fumée,
Et tu m'oses parler cependant d'une armée !
Tu n'auras plus l'honneur de voir un second Mars [4],
Je vais t'assassiner d'un seul de mes regards,
245 Veillaque [5]. Toutefois, je songe à ma maîtresse,
Le penser [6] m'adoucit ; va, ma colère cesse,
Et ce petit archer [7] qui dompte tous les Dieux
Vient de chasser la mort qui logeait dans mes yeux.
Regarde, j'ai quitté cette effroyable mine
250 Qui massacre, détruit, brise, brûle, extermine,
Et pensant au bel œil qui tient ma liberté,
Je ne suis plus qu'amour, que grâce, que beauté.

---

1. *Sophi de Perse* : roi de Perse. \ **2.** *Grand Mogor* : souverain de l'empire moghol. \ **3.** *Trois Parques* : les trois déesses romaines qui décident de la durée de la vie de chaque homme. \ **4.** *Mars* : dieu romain de la Guerre. \ **5.** *Veillaque* : lâche. \ **6.** *Le penser* : cette pensée. \ **7.** *Ce petit archer* : Cupidon, dieu romain de l'Amour.

CLINDOR

Ô Dieux ! en un moment que tout vous est possible !
Je vous vois aussi beau que vous étiez terrible,
255 Et ne crois point d'objet si ferme en sa rigueur
Qui puisse constamment vous refuser son cœur.

MATAMORE

Je te le dis encor, ne sois plus en alarme :
Quand je veux j'épouvante, et quand je veux, je charme,
Et, selon qu'il me plaît, je remplis tour à tour
260 Les hommes de terreur, et les femmes d'amour.
Du temps que ma beauté m'était inséparable,
Leurs persécutions me rendaient misérable :
Je ne pouvais sortir sans les faire pâmer,
Mille mouraient par jour à force de m'aimer ;
265 J'avais des rendez-vous de toutes les Princesses,
Les Reines à l'envi mendiaient mes caresses ;
Celle d'Éthiopie, et celle du Japon
Dans leurs soupirs d'amour ne mêlaient que mon nom ;
De passion pour moi deux Sultanes troublèrent [1],
270 Deux autres pour me voir du sérail s'échappèrent ;
J'en fus mal quelque temps avec le Grand Seigneur [2] !

CLINDOR

Son mécontentement n'allait qu'à votre honneur.

MATAMORE

Ces pratiques nuisaient à mes desseins de guerre,
Et pouvaient m'empêcher de conquérir la Terre.
275 D'ailleurs, j'en devins las, et pour les arrêter,
J'envoyai le Destin dire à son Jupiter
Qu'il trouvât un moyen qui fît cesser les flammes
Et l'importunité dont m'accablaient les Dames ;
Qu'autrement, ma colère irait dedans les Cieux
280 Le dégrader [3] soudain de l'empire des Dieux,

---

1. *Troublèrent* : furent troublées. \ **2.** *Le Grand Seigneur* : le sultan des Turcs. \ **3.** *Dégrader* : faire descendre.

Et donnerait à Mars à gouverner son foudre.
La frayeur qu'il en eut le fit bientôt résoudre :
Ce que je demandais fut prêt en un moment,
Et depuis je suis beau quand je veux seulement.

CLINDOR

285 Que j'aurais sans cela de poulets[1] à vous rendre !

MATAMORE

De quelle que ce soit garde-toi bien d'en prendre
Sinon de… Tu m'entends. Que dit-elle de moi ?

CLINDOR

Que vous êtes des cœurs et le charme et l'effroi,
Et que, si quelque effet peut suivre vos promesses
290 Son sort est plus heureux que celui des Déesses.

MATAMORE

Écoute : en ce temps-là dont tantôt je parlois,
Les Déesses aussi se rangeaient sous mes lois,
Et je te veux conter une étrange aventure
Qui jeta du désordre en toute la nature,
295 Mais désordre aussi grand qu'on en voie arriver.
Le Soleil fut un jour sans se pouvoir lever,
Et ce visible Dieu que tant de monde adore
Pour marcher devant lui ne trouvait point d'Aurore ;
On la cherchait partout, au lit du vieux Tithon[2],
300 Dans les bois de Céphale[3], au palais de Memnon[4],
Et, faute de trouver cette belle fourrière[5],
Le jour jusqu'à midi se passait sans lumière.

CLINDOR

Où se pouvait cacher la Reine des Clartés ?

MATAMORE

Parbleu, je la tenais encore à mes côtés !
305 Aucun n'osa jamais la chercher dans ma chambre,

---

1. *Poulets* : billets doux. \ **2.** *Vieux Tithon* : époux de l'Aurore. \ **3.** *Céphale* : amant de l'Aurore.
\ **4.** *Memnon* : fils de l'Aurore et de Tithon. \ **5.** *Fourrière* : celle qui annonce, qui précède.

Et le dernier de Juin fut un jour de Décembre ;
Car enfin, supplié par le Dieu du Sommeil,
Je la rendis au monde, et l'on vit le Soleil.

CLINDOR

Cet étrange accident [1] me revient en mémoire ;
310 J'étais lors en Mexique, où j'en appris l'histoire,
Et j'entendis conter que la Perse en courroux
De l'affront de son Dieu murmurait contre vous.

MATAMORE

J'en ouïs quelque chose, et je l'eusse punie ;
Mais j'étais engagé dans la Transylvanie,
315 Où ses Ambassadeurs qui vinrent l'excuser,
À force de présents me surent apaiser.

CLINDOR

Que la clémence est belle en un si grand courage !

MATAMORE

Contemple, mon ami, contemple ce visage :
Tu vois un abrégé de toutes les vertus.
320 D'un monde d'ennemis sous mes pieds abattus,
Dont la race est périe et la Terre déserte,
Pas un qu'à son orgueil n'a jamais dû sa perte [2].
Tous ceux qui font hommage à mes perfections
Conservent leurs États par leurs submissions ;
325 En Europe où les Rois sont d'une humeur civile,
Je ne leur rase point de château ni de ville ;
Je les souffre régner ; mais chez les Africains,
Partout où j'ai trouvé des Rois un peu trop vains,
J'ai détruit les pays avecque les Monarques,
330 Et leurs vastes déserts en sont de bonnes marques :
Ces grands sables qu'à peine [3] on passe sans horreur
Sont d'assez beaux effets de ma juste fureur.

---

1. *Accident* : événement. \ **2.** *À son orgueil n'a jamais dû sa perte* : leur orgueil les a tous perdus. \ **3.** *À peine* : avec peine.

CLINDOR

Revenons à l'amour, voici votre maîtresse.

MATAMORE

Ce diable de rival l'accompagne sans cesse.

CLINDOR

335 Où vous retirez-vous ?

MATAMORE

Ce fat n'est pas vaillant
Mais il a quelque humeur qui le rend insolent ;
Peut-être qu'orgueilleux d'être avec cette belle,
Il serait assez vain[1] pour me faire querelle.

CLINDOR

Ce serait bien courir lui-même à son malheur.

MATAMORE

340 Lorsque j'ai ma beauté, je n'ai point ma valeur.

CLINDOR

Cessez d'être charmant et faites-vous terrible.

MATAMORE

Mais tu n'en prévois pas l'accident[2] infaillible :
Je ne saurais me faire effroyable à demi,
Je tuerais ma maîtresse avec mon ennemi.
345 Attendons en ce coin l'heure qui les sépare.

CLINDOR

Comme votre valeur, votre prudence est rare.

---

1. *Vain* : vaniteux. \ 2. *L'accident* : la conséquence.

Scène 3
ADRASTE, ISABELLE

ADRASTE

Hélas ! s'il est ainsi, quel malheur est le mien !
Je soupire, j'endure, et je n'avance rien,
Et malgré les transports de mon amour extrême
350 Vous ne voulez pas croire encor que je vous aime.

ISABELLE

Je ne sais pas, Monsieur, de quoi vous me blâmez.
Je me connais aimable, et crois que vous m'aimez :
Dans vos soupirs ardents j'en vois trop d'apparence,
Et quand bien [1] de leur part j'aurais moins d'assurance,
355 Pour peu qu'un honnête homme ait vers moi [2] de crédit,
Je lui fais la faveur de croire ce qu'il dit.
Rendez-moi la pareille, et puisque à votre flamme
Je ne déguise rien de ce que j'ai dans l'âme,
Faites-moi la faveur de croire sur ce point
360 Que, bien que vous m'aimiez, je ne vous aime point.

ADRASTE

Cruelle, est-ce là donc ce que vos injustices
Ont réservé de prix à de si longs services [3] ?
Et mon fidèle amour est-il si criminel
Qu'il doive être puni d'un mépris éternel ?

ISABELLE

365 Nous donnons bien souvent de divers noms aux choses :
Des épines pour moi, vous les nommez des roses ;
Ce que vous appelez service, affection,
Je l'appelle supplice et persécution.
Chacun dans sa croyance également s'obstine :
370 Vous pensez m'obliger d'un feu qui m'assassine,
Et la même action, à votre sentiment
Mérite récompense, au mien un châtiment.

---

1. *Et quand bien* : quand bien même. \ 2. *Vers moi* : pour moi. \ 3. *De si longs services* : à une
cour si assidue.

ADRASTE

Donner un châtiment à des flammes [1] si saintes,
Dont j'ai reçu du Ciel les premières atteintes !
375 Oui, le Ciel au moment qu'il me fit respirer
Ne me donna du cœur que pour vous adorer ;
Mon âme prit naissance avec votre idée ;
Avant que de vous voir vous l'avez possédée,
Et les premiers regards dont m'aient frappé vos yeux
380 N'ont fait qu'exécuter l'ordonnance des Cieux,
Que vous saisir d'un bien qu'ils avaient fait tout vôtre.

ISABELLE

Le Ciel m'eût fait plaisir d'en enrichir un autre.
Il vous fit pour m'aimer et moi pour vous haïr :
Gardons-nous bien tous deux de lui désobéir.
385 Après tout, vous avez bonne part à sa haine,
Ou de quelque grand crime il vous donne la peine,
Car je ne pense pas qu'il soit supplice égal
D'être forcé d'aimer qui vous traite si mal.

ADRASTE

Puisque ainsi vous jugez que ma peine est si dure,
390 Prenez quelque pitié des tourments que j'endure.

ISABELLE

Certes, j'en ai beaucoup, et vous plains d'autant plus
Que je vois ces tourments passer pour superflus,
Et n'avoir pour tout fruit d'une longue souffrance
Que l'incommode honneur d'une triste constance.

ADRASTE

395 Un père l'autorise, et mon feu maltraité
Enfin aura recours à son autorité.

ISABELLE

Ce n'est pas le moyen de trouver votre compte,
Et d'un si beau dessein vous n'aurez que la honte.

---

1. *Des flammes* : une passion.

ADRASTE

J'espère voir pourtant avant la fin du jour
400 Ce que peut son vouloir au défaut de l'amour.

ISABELLE

Et moi, j'espère voir, avant que le jour passe,
Un amant accablé de nouvelle disgrâce.

ADRASTE

Eh quoi ! cette rigueur ne cessera jamais ?

ISABELLE

Allez trouver mon père, et me laissez en paix.

ADRASTE

405 Votre âme, au repentir de sa froideur passée,
Ne la veut point quitter sans être un peu forcée.
J'y vais tout de ce pas, mais avec des serments
Que c'est pour obéir à vos commandements.

ISABELLE

Allez continuer une vaine poursuite.

Scène 4

MATAMORE, ISABELLE, CLINDOR, PAGE

MATAMORE

410 Eh bien ! dès qu'il m'a vu, comme a-t-il pris la fuite !
M'a-t-il bien su quitter la place au même instant !

ISABELLE

Ce n'est pas honte à lui, les Rois en font autant,
Au moins si ce grand bruit qui court de vos merveilles
N'a trompé mon esprit en frappant mes oreilles.

MATAMORE

415 Vous le pouvez bien croire et, pour le témoigner,
Choisissez en quels lieux il vous plaît de régner :

Ce bras tout aussitôt vous conquête [1] un Empire.
J'en jure par lui-même, et cela, c'est tout dire.

ISABELLE

Ne prodiguez pas tant ce bras toujours vainqueur :
420 Je ne veux point régner que dessus votre cœur [2] ;
Toute l'ambition que me donne ma flamme
C'est d'avoir pour sujets les désirs de votre âme.

MATAMORE

Ils vous sont tous acquis, et, pour vous faire voir
Que vous avez sur eux un absolu pouvoir,
425 Je n'écouterai plus cette humeur de conquête,
Et, laissant tous les Rois leurs Couronnes en tête,
J'en prendrai seulement deux ou trois pour valets
Qui viendront à genoux vous rendre mes poulets [3].

ISABELLE

L'éclat de tels suivants attirerait l'envie
430 Sur le rare bonheur où je coule ma vie.
Le commerce discret de nos affections
N'a besoin que de lui pour ces commissions.

Elle montre Clindor.

MATAMORE

Vous avez, Dieu me sauve, un esprit à ma mode :
Vous trouvez comme moi la grandeur incommode.
435 Les sceptres les plus beaux n'ont rien pour moi d'exquis,
Je les rends aussitôt que je les ai conquis,
Et me suis vu charmer quantité de Princesses
Sans que jamais mon cœur acceptât ces maîtresses.

ISABELLE

Certes en ce point seul je manque un peu de foi,
440 Que vous ayez quitté des Princesses pour moi !
Qu'elles n'aient pu blesser un cœur dont je dispose !

---

1. *Conquête* : conquiert. \ **2.** *Dessus votre cœur* : sinon sur votre cœur. \ **3.** *Poulets* : voir note 1, p. 24.

MATAMORE

Je crois que la Montagne en saura quelque chose.
Viens çà : lorsqu'en la Chine en ce fameux tournoi,
Je donnai dans la vue aux deux filles du Roi,
445 Sus-tu rien de leur flamme et de la jalousie
Dont pour moi toutes deux avaient l'âme saisie ?

CLINDOR

Par vos mépris enfin l'une et l'autre mourut.
J'étais lors en Égypte, où le bruit en courut,
Et ce fut en ce temps que la peur de vos armes
450 Fit nager le grand Caire en un fleuve de larmes :
Vous veniez d'assommer dix Géants en un jour,
Vous aviez désolé les pays d'alentour,
Rasé quinze châteaux, aplani deux montagnes,
Fait passer par le feu villes, bourgs et campagnes,
455 Et défait vers Damas cent mille combattants.

MATAMORE

Que tu remarques bien et les lieux et les temps !
Je l'avais oublié !

ISABELLE

                    Des faits si pleins de gloire
Vous peuvent-ils ainsi sortir de la mémoire ?

MATAMORE

Trop pleine des lauriers remportés sur les Rois,
460 Je ne la charge point de ces menus exploits.

PAGE

Monsieur...

MATAMORE

              Que veux-tu, Page ?

PAGE

                                Un Courrier vous demande.

MATAMORE

D'où vient-il ?

PAGE

De la part de la Reine d'Islande.

MATAMORE

Ciel qui sais comme quoi j'en suis persécuté,
Un peu plus de repos avec moins de beauté !
465 Fais qu'un si long mépris enfin la désabuse !

CLINDOR, *à Isabelle*

Voyez ce que pour vous ce grand guerrier refuse.

ISABELLE

Je n'en puis plus douter.

CLINDOR

Il vous le disait bien.

MATAMORE

Elle m'a beau prier, non, je n'en ferai rien !
Et quoi qu'un fol espoir ose encor lui promettre,
470 Je lui vais envoyer sa mort dans une lettre.
Trouvez-le bon, ma Reine, et souffrez cependant
Une heure d'entretien de ce cher confident,
Qui, comme de ma vie il sait toute l'histoire,
Vous fera voir sur qui vous avez la victoire.

ISABELLE

475 Tardez encore moins, et, par ce prompt retour,
Je jugerai quelle est envers moi votre amour[1].

---

1. *Quelle est* [...] *amour* : *amour* peut être du genre féminin au XVIIe siècle.

Scène 5
Clindor, Isabelle

CLINDOR

Jugez plutôt par là l'humeur du personnage :
Ce page n'est chez lui que pour ce badinage,
Et venir d'heure en heure avertir Sa Grandeur
480 D'un Courrier, d'un Agent, ou d'un Ambassadeur.

ISABELLE

Ce message me plaît bien plus qu'il ne lui semble :
Il me défait d'un fou pour nous laisser ensemble.

CLINDOR

Ce discours favorable enhardira mes feux
À bien user d'un temps si propice à mes vœux.

ISABELLE

485 Que m'allez-vous conter ?

CLINDOR

              Que j'adore Isabelle ;
Que je n'ai plus de cœur ni d'âme que pour elle ;
Que ma vie…

ISABELLE

            Épargnez ces propos superflus.
Je les sais, je les crois, que voulez-vous de plus ?
Je néglige à vos yeux l'offre d'un diadème,
490 Je dédaigne un rival, en un mot je vous aime.
C'est aux commencements des faibles passions
À s'amuser encore aux protestations !
Il suffit de nous voir, au point où sont les nôtres ;
Un clin d'œil vaut pour vous tous les discours des autres.

CLINDOR

495 Dieux ! qui l'eût jamais cru, que mon sort rigoureux
Se rendît si facile à mon cœur amoureux !
Banni de mon pays par la rigueur d'un père,

33

Sans support, sans amis, accablé de misère,
Et réduit à flatter le caprice arrogant
500 Et les vaines humeurs d'un maître extravagant,
En ce piteux état ma fortune si basse
Trouve encor quelque part en votre bonne grâce,
Et d'un rival puissant les biens et la grandeur,
Obtiennent moins sur vous que ma sincère ardeur !

ISABELLE

505 C'est comme il faut choisir, et l'amour véritable
S'attache seulement à ce qu'il voit d'aimable ;
Qui regarde les biens, ou la condition,
N'a qu'un amour avare ou plein d'ambition,
Et souille lâchement par ce mélange infâme
510 Les plus nobles désirs qu'enfante une belle âme.
Je sais bien que mon père a d'autres sentiments,
Et mettra de l'obstacle à nos contentements ;
Mais l'amour sur mon cœur a pris trop de puissance
Pour écouter encor les lois de la naissance.
515 Mon père peut beaucoup, mais bien moins que ma foi :
Il a choisi pour lui, je veux choisir pour moi.

CLINDOR

Confus de voir donner à mon peu de mérite…

ISABELLE

Voici mon importun, souffrez que je l'évite.

Scène 6

ADRASTE, CLINDOR

ADRASTE

Que vous êtes heureux ! et quel malheur me suit !
520 Ma maîtresse vous souffre, et l'ingrate me fuit !
Quelque goût qu'elle prenne en votre compagnie,
Sitôt que j'ai paru, mon abord l'a bannie !

CLINDOR

Sans qu'elle ait vu vos pas s'adresser en ce lieu,
Lasse de mes discours, elle m'a dit adieu.

ADRASTE

525 Lasse de vos discours ! votre humeur est trop bonne,
Et votre esprit trop beau pour ennuyer personne !
Mais que lui contiez-vous qui pût l'importuner ?

CLINDOR

Des choses qu'aisément vous pouvez deviner :
Les amours de mon maître, ou plutôt ses sottises,
530 Ses conquêtes en l'air, ses hautes entreprises.

ADRASTE

Voulez-vous m'obliger ? Votre maître ni vous
N'êtes pas gens tous deux à me rendre jaloux,
Mais, si vous ne pouvez arrêter ses saillies [1],
Divertissez [2] ailleurs le cours de ses folies.

CLINDOR

535 Que craignez-vous de lui, dont tous les compliments
Ne parlent que de morts et de saccagements,
Qu'il bat, terrasse, brise, étrangle, brûle, assomme ?

ADRASTE

Pour être son valet je vous trouve honnête homme,
Vous n'avez point la mine à servir sans dessein
540 Un fanfaron plus fou que son discours n'est vain.
Quoi qu'il en soit, depuis que je vous vois chez elle,
Toujours de plus en plus je l'éprouve cruelle :
Ou vous servez quelque autre, ou votre qualité
Laisse dans vos projets trop de témérité.
545 Je vous tiens fort suspect de quelque haute adresse.
Que votre maître enfin fasse une autre maîtresse,
Ou, s'il ne peut quitter un entretien si doux,

---

1. *Ses saillies* : ses extravagances. \ 2. *Divertissez* : détournez.

Qu'il se serve du moins d'un autre que de vous.
Ce n'est pas qu'après tout les volontés d'un père
550 Qui sait ce que je suis ne terminent l'affaire ;
Mais purgez-moi l'esprit de ce petit souci,
Et, si vous vous aimez, bannissez-vous d'ici ;
Car si je vous vois plus[1] regarder cette porte,
Je sais comme[2] traiter les gens de votre sorte.

CLINDOR

555 Me croyez-vous bastant[3] de nuire à votre feu ?

ADRASTE

Sans réplique, de grâce, ou vous verrez beau jeu !
Allez, c'est assez dit.

CLINDOR

                              Pour un léger ombrage,
C'est trop indignement traiter un bon courage.
Si le Ciel en naissant ne m'a fait grand seigneur,
560 Il m'a fait le cœur ferme et sensible à l'honneur,
Et je suis homme à rendre un jour ce qu'on me prête.

ADRASTE

Quoi ! vous me menacez ?

CLINDOR

                              Non, non, je fais retraite.
D'un si cruel affront vous aurez peu de fruit,
Mais ce n'est pas ici qu'il faut faire du bruit.

---

1. *Plus* : encore. \ **2.** *Comme* : de quelle manière. \ **3.** *Bastant* : capable.

Scène 7
ADRASTE, LYSE

ADRASTE

565 Ce bélître [1] insolent me fait encor bravade.

LYSE

À ce compte, Monsieur, votre esprit est malade ?

ADRASTE

Malade, mon esprit ?

LYSE

Oui, puisqu'il est jaloux
Du malheureux agent de ce Prince des fous.

ADRASTE

Je suis trop glorieux et crois trop d'Isabelle
570 Pour craindre qu'un valet me supplante auprès d'elle.
Je ne puis toutefois souffrir sans quelque ennui
Le plaisir qu'elle prend à rire avecque lui.

LYSE

C'est dénier ensemble et confesser la dette [2].

ADRASTE

Nomme, si tu le veux, ma boutade indiscrète,
575 Et trouve mes soupçons bien ou mal à propos,
Je l'ai chassé d'ici pour me mettre en repos.
En effet [3], qu'en est-il ?

LYSE

Si j'ose vous le dire,
Ce n'est plus que pour lui qu'Isabelle soupire.

ADRASTE

Ô Dieu, que me dis-tu ?

---

1. *Bélître* : gueux, mendiant ; terme utilisé comme une injure. \ **2.** *C'est dénier ensemble et confesser la dette* : c'est à la fois dénier et confesser la dette. \ **3.** *En effet* : en fait.

LYSE

Qu'il possède son cœur,
580 Que jamais feux naissants n'eurent tant de vigueur,
Qu'ils meurent l'un pour l'autre et n'ont qu'une pensée.

ADRASTE

Trop ingrate beauté, déloyale, insensée,
Tu m'oses donc ainsi préférer un maraud[1] ?

LYSE

Ce rival orgueilleux le porte bien plus haut[2],
585 Et, je vous en veux faire entière confidence :
Il se dit gentilhomme et riche.

ADRASTE

Ah ! l'impudence !

LYSE

D'un père rigoureux fuyant l'autorité,
Il a couru longtemps d'un et d'autre côté ;
Enfin, manque d'argent peut-être, ou par caprice,
590 De notre Rodomont[3] il s'est mis au service,
Où choisi pour agent de ses folles amours,
Isabelle a prêté l'oreille à ses discours.
Il a si bien charmé cette pauvre abusée
Que vous en avez vu votre ardeur méprisée.
595 Mais parlez à son père, et bientôt son pouvoir
Remettra son esprit aux termes du devoir.

ADRASTE

Je viens tout maintenant d'en tirer assurance
De recevoir les fruits de ma persévérance,
Et devant qu'il soit peu[4] nous en verrons l'effet.
600 Mais, écoute, il me faut obliger tout à fait.

---

1. *Maraud* : scélérat, grossier personnage. \ **2.** *Le porte bien plus haut* : est bien plus audacieux.
\ **3.** *Rodomont* : personnage de poèmes chevaleresques italiens, notamment de *Roland furieux*,
de l'Arioste (1532), caractérisé par sa force surhumaine, son courage et son orgueil.
\ **4.** *Devant qu'il soit peu* : avant peu de temps.

LYSE

Où je vous puis servir, j'ose tout entreprendre.

ADRASTE

Peux-tu dans leurs amours me les faire surprendre ?

LYSE

Il n'est rien plus aisé, peut-être dès ce soir.

ADRASTE

Adieu donc. Souviens-toi de me les faire voir.
605 Cependant prends ceci seulement par avance.

LYSE

Que le galant alors soit frotté d'importance[1] !

ADRASTE

Crois-moi qu'il se verra, pour te mieux contenter,
Chargé d'autant de bois qu'il en pourra porter.

Scène 8

LYSE

LYSE

L'arrogant croit déjà tenir ville gagnée,
610 Mais il sera puni de m'avoir dédaignée.
Parce qu'il est aimable, il fait le petit Dieu ;
Et ne veut s'adresser qu'aux filles de bon lieu[2],
Je ne mérite pas l'honneur de ses caresses :
Vraiment c'est pour son nez, il lui faut des maîtresses ;
615 Je ne suis que servante, et qu'est-il que valet ?
Si son visage est beau, le mien n'est pas trop laid ;
Il se dit riche et noble, et cela me fait rire :
Si loin de son pays, qui n'en peut autant dire ?

---

1. *Que le galant alors soit frotté d'importance* : qu'il soit bien battu. \ 2. *De bon lieu* : de bonne famille.

Qu'il le soit, nous verrons ce soir, si je le tiens,
620 Danser sous le cotret [1] sa noblesse et ses biens.

Scène 9

ALCANDRE, PRIDAMANT

ALCANDRE

Le cœur vous bat un peu.

PRIDAMANT

Je crains cette menace.

ALCANDRE

Lyse aime trop Clindor pour causer sa disgrâce.

PRIDAMANT

Elle en est méprisée et cherche à se venger.

ALCANDRE

Ne craignez point : l'amour la fera bien changer.

---

1. *Cotret* : bâton.

Acte III

Scène première

GÉRONTE, ISABELLE

GÉRONTE

625 Apaisez vos soupirs et tarissez vos larmes ;
Contre ma volonté ce sont de faibles armes ;
Mon cœur quoique sensible à toutes vos douleurs,
Écoute la raison et néglige vos pleurs.
Je connais votre bien beaucoup mieux que vous-même.
630 Orgueilleuse, il vous faut, je pense, un diadème !
Et ce jeune baron avecque tout son bien,
Passe encore chez vous pour un homme de rien !
Que lui manque après tout ? Bien fait de corps et d'âme,
Noble, courageux, riche, adroit et plein de flamme,
635 Il vous fait trop d'honneur.

ISABELLE

Je sais qu'il est parfait,
Et reconnais fort mal les honneurs qu'il me fait,
Mais, si votre bonté me permet en ma cause
Pour me justifier de dire quelque chose,
Par un secret instinct que je ne puis nommer,
640 J'en fais beaucoup d'état et ne le puis aimer.
De certains mouvements que le Ciel nous inspire
Nous font aux yeux d'autrui souvent choisir le pire ;
C'est lui qui d'un regard fait naître en notre cœur
L'estime ou le mépris, l'amour ou la rigueur ;

645 Il attache ici-bas avec des sympathies
Les âmes que son choix a là-haut assorties ;
On n'en saurait unir sans ses avis secrets,
Et cette chaîne manque où manquent ses décrets.
Aller contre les lois de cette providence,
650 C'est le prendre à partie et blâmer sa prudence[1],
L'attaquer en rebelle et s'exposer aux coups
Des plus âpres malheurs qui suivent son courroux.

GÉRONTE

Impudente, est-ce ainsi que l'on se justifie ?
Quel maître vous apprend cette philosophie ?
655 Vous en savez beaucoup, mais tout votre savoir
Ne m'empêchera pas d'user de mon pouvoir.
Si le Ciel pour mon choix vous donne tant de haine,
Vous a-t-il mise en feu pour ce grand Capitaine ?
Ce guerrier valeureux vous tient-il dans ses fers,
660 Et vous a-t-il domptée avec tout l'univers ?
Ce fanfaron doit-il relever ma famille ?

ISABELLE

Eh ! de grâce, Monsieur, traitez mieux votre fille !

GÉRONTE

Quel sujet donc vous porte à me désobéir ?

ISABELLE

Mon heur[2] et mon repos, que je ne puis trahir :
665 Ce que vous appelez un heureux Hyménée[3]
N'est pour moi qu'un enfer si j'y suis condamnée.

GÉRONTE

Ah ! qu'il en est encor de mieux faites que vous
Qui se voudraient bien voir dans un enfer si doux !
Après tout, je le veux, cédez à ma puissance.

ISABELLE

670 Faites un autre essai de mon obéissance.

---

1. *Prudence* : sagesse. \ 2. *Heur* : bonheur. \ 3. *Hyménée* : mariage.

GÉRONTE

Ne me répliquez plus quand j'ai dit : Je le veux.
Rentrez, c'est désormais trop contesté[1] nous deux.

Scène 2

GÉRONTE

GÉRONTE

Qu'à présent la jeunesse a d'étranges manies !
Les règles du devoir lui sont des tyrannies,
675 Et les droits les plus saints deviennent impuissants
À l'empêcher de courre[2] après son propre sens[3].
Mais c'est l'humeur du sexe[4], il aime à contredire
Pour secouer s'il peut le joug de notre empire[5],
Ne suit que son caprice en ses affections,
680 Et n'est jamais d'accord de nos élections[6].
N'espère pas pourtant, aveugle et sans cervelle,
Que ma prudence cède à ton esprit rebelle.
Mais ce fou viendra-t-il toujours m'embarrasser ?
Par force ou par adresse il me le faut chasser.

Scène 3

GÉRONTE, MATAMORE, CLINDOR

MATAMORE, *à Clindor*

685 N'auras-tu point enfin pitié de ma fortune ?
Le Grand Vizir[7] encor de nouveau m'importune ;
Le Tartare d'ailleurs[8] m'appelle à son secours ;

---

1. *Contesté* : discuté. \ **2.** *Courre* : autre infinitif de « courir ». \ **3.** *Sens* : jugement, goût. \ **4.** *L'humeur du sexe* : l'humeur des femmes. \ **5.** *Empire* : autorité. \ **6.** *N'est jamais d'accord de nos élections* : ne s'accorde jamais avec nos choix. \ **7.** *Grand Vizir* : sorte de Premier ministre d'un sultan. \ **8.** *D'ailleurs* : d'un autre côté.

Narsingue et Calicut[1] m'en pressent tous les jours :
Si je ne les refuse, il me faut mettre en quatre.

CLINDOR

690 Pour moi, je suis d'avis que vous les laissiez battre[2] :
Vous emploieriez trop mal vos invincibles coups
Si, pour en servir un, vous faisiez trois jaloux.

MATAMORE

Tu dis bien, c'est assez de telles courtoisies ;
Je ne veux qu'en Amour donner des jalousies.
695 Ah ! Monsieur, excusez si, faute de vous voir,
Bien que si près de vous, je manquais au devoir.
Mais quelle émotion paraît sur ce visage ?
Où sont vos ennemis que j'en fasse un carnage ?

GÉRONTE

Monsieur, grâces aux Dieux, je n'ai point d'ennemis.

MATAMORE

700 Mais grâces à ce bras qui vous les a soumis.

GÉRONTE

C'est une grâce encor que j'avais ignorée.

MATAMORE

Depuis que ma faveur pour vous s'est déclarée,
Ils sont tous morts de peur, ou n'ont osé branler[3].

GÉRONTE

C'est ailleurs maintenant qu'il vous faut signaler :
705 Il fait beau voir ce bras plus craint que le tonnerre
Demeurer si paisible en un temps plein de guerre,
Et c'est pour acquérir un nom bien relevé,
D'être dans une ville à battre le pavé !
Chacun croit votre gloire à faux titre usurpée,
710 Et vous ne passez plus que pour traîneur d'épée.

---

1. *Narsingue et Calicut* : deux royaumes d'Inde. \ **2.** *Battre* : se battre. \ **3.** *Branler* : bouger.

MATAMORE

Ah ventre[1] ! il est tout vrai que vous avez raison !
Mais le moyen d'aller, si je suis en prison ?
Isabelle m'arrête, et ses yeux pleins de charmes
Ont captivé mon cœur et suspendu mes armes.

GÉRONTE

715 Si rien que son sujet ne vous tient arrêté,
Faites votre équipage en toute liberté :
Elle n'est pas pour vous, n'en soyez point en peine.

MATAMORE

Ventre ! que dites-vous ? Je la veux faire reine !

GÉRONTE

Je ne suis pas d'humeur à rire tant de fois
720 Du grotesque récit de vos rares exploits.
La sottise ne plaît qu'alors qu'elle est nouvelle.
En un mot, faites Reine une autre qu'Isabelle.
Si pour l'entretenir vous venez plus[2] ici…

MATAMORE

Il a perdu le sens de me parler ainsi !
725 Pauvre homme, sais-tu bien que mon nom effroyable
Met le grand Turc en fuite, et fait trembler le diable ?
Que pour t'anéantir, je ne veux qu'un moment ?

GÉRONTE

J'ai chez moi des valets à mon commandement
Qui, se connaissant mal à faire des bravades
730 Répondraient de la main à vos rodomontades[3].

MATAMORE, *à Clindor*

Dis-lui ce que j'ai fait en mille et mille lieux.

---

1. *Ventre* : juron abrégé : « ventre bleu », « ventre de Dieu ». \ **2.** *Plus* : encore. \ **3.** *Rodomontades* : fanfaronnades.

GÉRONTE

Adieu, modérez-vous, il vous en prendra mieux ;
Bien que je ne sois pas de ceux qui vous haïssent,
J'ai le sang un peu chaud, et mes gens m'obéissent.

Scène 4

MATAMORE, CLINDOR

MATAMORE

735 Respect de ma maîtresse, incommode vertu,
Tyran de ma vaillance, à quoi me réduis-tu ?
Que n'ai-je eu cent rivaux à la place d'un père
Sur qui, sans t'offenser, laisser choir ma colère ?
Ah ! visible démon, vieux spectre décharné,
740 Vrai suppôt de Satan, médaille de damné[1],
Tu m'oses donc bannir, et même avec menaces,
Moi de qui tous les Rois briguent les bonnes grâces !

CLINDOR

Tandis qu'il est dehors allez dès aujourd'hui,
Causer de vos amours et vous moquer de lui.

MATAMORE

745 Cadédiou[2], ses valets feraient quelque insolence.

CLINDOR

Ce fer a trop de quoi dompter leur violence.

MATAMORE

Oui, mais les feux qu'il jette en sortant de prison[3]
Auraient en un moment embrasé la maison,
Dévoré tout à l'heure[4] ardoises, et gouttières,

---

1. *Médaille de damné* : image de damné. \ **2.** *Cadédiou* : juron occitan : « tête de Dieu ».
\ **3.** *Les feux qu'il jette en sortant de prison* : les éclats que l'épée lance en sortant de son fourreau.
\ **4.** *Tout à l'heure* : en un instant.

750 Faîtes, lattes, chevrons, montants, courbes, filières,
    Entretoises, sommiers, colonnes, soliveaux,
    Pannes, soles, appuis, jambages, traveteaux [1],
    Portes, grilles, verrous, serrures, tuiles, pierre,
    Plomb, fer, plâtre, ciment, peinture, marbre, verre,
755 Caves, puits, cours, perrons, salles, chambres, greniers,
    Offices, cabinets, terrasses, escaliers :
    Juge un peu quel désordre aux yeux de ma charmeuse !
    Ces feux étoufferaient son ardeur amoureuse ;
    Va lui parler pour moi, toi qui n'es pas vaillant ;
760 Tu puniras à moins [2] un valet insolent.

CLINDOR

C'est m'exposer...

MATAMORE

        Adieu, je vois ouvrir la porte,
Et crains que sans respect cette canaille sorte.

Scène 5

CLINDOR, LYSE

CLINDOR

Le souverain poltron, à qui pour faire peur
Il ne faut qu'une feuille, une ombre, une vapeur !
765 Un vieillard le maltraite, il fuit pour une fille,
    Et tremble à tous moments de crainte qu'on l'étrille !
    Lyse, que ton abord doit être dangereux !
    Il donne l'épouvante à ce cœur généreux [3],
    Cet unique vaillant, la fleur des Capitaines,
770 Qui dompte autant de Rois qu'il captive de reines.

---

1. *Pannes, soles, appuis, jambages, traveteaux* : énumération d'éléments d'architecture. \ **2.** *À moins* :
à moindres frais. \ **3.** *Généreux* : courageux.

LYSE

Mon visage est ainsi malheureux en attraits :
D'autres charment de loin, le mien fait peur de près.

CLINDOR

S'il fait peur à des fous, il charme les plus sages ;
Il n'est pas quantité de semblables visages ;
775 Si l'on brûle pour toi, ce n'est pas sans sujet ;
Je ne connus jamais un si gentil objet ;
L'esprit beau, prompt, accort[1], l'humeur un peu railleuse,
L'embonpoint ravissant, la taille avantageuse,
Les yeux doux, le teint vif, et les traits délicats,
780 Qui serait le brutal qui ne t'aimerait pas ?

LYSE

De grâce, et depuis quand me trouvez-vous si belle ?
Voyez bien, je suis Lyse, et non pas Isabelle !

CLINDOR

Vous partagez vous deux mes inclinations :
J'adore sa fortune et tes perfections.

LYSE

785 Vous en embrassez trop, c'est assez pour vous d'une,
Et mes perfections cèdent à sa fortune.

CLINDOR

Bien que pour l'épouser je lui donne ma foi[2],
Penses-tu qu'en effet[3] je l'aime plus que toi ?
L'amour et l'Hyménée ont diverse méthode :
790 L'un court au plus aimable, et l'autre au plus commode.
Je suis dans la misère, et tu n'as point de bien ;
Un rien s'assemble mal avec un autre rien.
Mais si tu ménageais ma flamme avec adresse,
Une femme est sujette, une amante est maîtresse.
795 Les plaisirs sont plus grands à se voir moins souvent ;

---

1. *Accort* : avisé. \ 2. *Je lui donne ma foi* : je m'engage auprès d'elle. \ 3. *En effet* : en réalité.

La femme les achète, et l'amante les vend ;
Un amour par devoir bien aisément s'altère ;
Les nœuds en sont plus forts quand il est volontaire ;
Il hait toute contrainte, et son plus doux appas
800 Se goûte quand on aime et qu'on peut n'aimer pas.
Seconde avec douceur celui que je te porte.

LYSE

Vous me connaissez trop pour m'aimer de la sorte,
Et vous en parlez moins de votre sentiment
Qu'à dessein de railler par divertissement.
805 Je prends tout en riant comme vous me le dites.
Allez continuer cependant vos visites.

CLINDOR

Un peu de tes faveurs me rendrait plus content.

LYSE

Ma maîtresse là-haut est seule, et vous attend.

CLINDOR

Tu me chasses ainsi !

LYSE

Non, mais je vous envoie
810 Aux lieux où vous trouvez votre heur et votre joie.

CLINDOR

Que même tes dédains me semblent gracieux !

LYSE

Ah ! que vous prodiguez un temps si précieux !
Allez.

CLINDOR

Souviens-toi donc...

LYSE

De rien que m'ait pu dire...

CLINDOR

Un amant...

49

LYSE

Un causeur qui prend plaisir à rire.

Scène 6

LYSE

LYSE

815 L'ingrat ! il trouve enfin mon visage charmant,
Et pour me suborner il contrefait l'amant !
Qui hait ma sainte ardeur m'aime dans l'infamie,
Me dédaigne pour femme, et me veut pour amie !
Perfide, qu'as-tu vu dedans mes actions
820 Qui te dût enhardir à ces prétentions ?
Qui t'a fait m'estimer digne d'être abusée,
Et juger mon honneur une conquête aisée ?
J'ai tout pris en riant, mais c'était seulement
Pour ne t'avertir pas de mon ressentiment.
825 Qu'eût produit son éclat que de la défiance ?
Qui cache sa colère assure sa vengeance,
Et ma feinte douceur, te laissant espérer,
Te jette dans les rets que j'ai su préparer.
Va, traître, aime en tous lieux et partage ton âme,
830 Choisis qui tu voudras pour maîtresse et pour femme,
Donne à l'une ton cœur, donne à l'autre ta foi,
Mais ne crois plus tromper Isabelle ni moi.
Ce long calme bientôt va tourner en tempête,
Et l'orage est tout prêt à fondre sur ta tête ;
835 Surpris par un rival dans ce cher entretien,
Il vengera d'un coup son malheur et le mien.
Toutefois qu'as-tu fait qui t'en rende coupable ?
Pour chercher sa fortune est-on si punissable ?
Tu m'aimes, mais le bien[1] te fait être inconstant :

---

1. *Le bien* : la richesse.

840 Au siècle où nous vivons qui n'en ferait autant ?
Oublions les projets de sa flamme maudite,
Et laissons-le jouir du bonheur qu'il mérite.
Que de pensers divers en mon cœur amoureux,
Et que je sens dans l'âme un combat rigoureux !
845 Perdre qui me chérit ! épargner qui m'affronte !
Ruiner ce que j'aime ! aimer qui veut ma honte !
L'amour produira-t-il un si cruel effet ?
L'impudent rira-t-il de l'affront qu'il m'a fait ?
Mon amour me séduit, et ma haine m'emporte ;
850 L'une peut tout sur moi, l'autre n'est pas moins forte.
N'écoutons plus l'amour pour un tel suborneur,
Et laissons à la haine assurer mon honneur.

Scène 7

MATAMORE

MATAMORE

Les voilà, sauvons-nous ! Non, je ne vois personne,
Avançons hardiment. Tout le corps me frissonne.
855 Je les entends, fuyons. Le vent faisait ce bruit.
Coulons-nous en faveur des ombres de la nuit [1].
Vieux rêveur [2], malgré toi j'attends ici ma Reine.
Ces diables de valets me mettent bien en peine.
De deux mille ans et plus je ne tremblai si fort.
860 C'est trop me hasarder : s'ils sortent, je suis mort ;
Car j'aime mieux mourir que leur donner bataille,
Et profaner mon bras contre cette canaille.
Que le courage expose à d'étranges dangers !
Toutefois en tout cas je suis des plus légers ;
865 S'il ne faut que courir, leur attente est dupée ;

---

1. *Coulons-nous en faveur des ombres de la nuit* : profitons de l'obscurité pour nous approcher.
\ **2.** *Vieux rêveur* : vieux fou : expression qui s'adresse à Géronte.

J'ai le pied pour le moins aussi bon que l'épée.
Tout de bon, je les vois. C'est fait, il faut mourir.
J'ai le corps tout glacé, je ne saurais courir.
Destin, qu'à ma valeur tu te montres contraire !
870 C'est ma Reine elle-même avec mon Secrétaire.
Tout mon corps se déglace. Écoutons leurs discours,
Et voyons son adresse à traiter mes amours.

Scène 8

CLINDOR, ISABELLE, MATAMORE

ISABELLE

Tout se prépare mal du côté de mon père ;
Je ne le vis jamais d'une humeur si sévère ;
875 Il ne souffrira plus votre maître ni vous.
Notre baron d'ailleurs est devenu jaloux,
Et c'est aussi pourquoi je vous ai fait descendre :
Dedans mon cabinet ils nous pourraient surprendre ;
Ici nous causerons en plus de sûreté ;
880 Vous pourrez vous couler d'un et d'autre côté,
Et, si quelqu'un survient, ma retraite est ouverte.

CLINDOR

C'est trop prendre de soin pour empêcher ma perte.

ISABELLE

Je n'en puis prendre trop pour conserver un bien
Sans qui tout l'univers ensemble ne m'est rien.
885 Oui, je fais plus d'état d'avoir gagné votre âme
Que si tout l'univers me connaissait pour Dame [1].
Un rival par mon père attaque en vain ma foi,
Votre amour seul a droit de triompher de moi.

---

1. *Que si tout l'univers me connaissait pour Dame* : que si tout l'univers me reconnaissait comme sa maîtresse.

Des discours de tous deux je suis persécutée ;
890 Mais pour vous je me plais à être maltraitée ;
Il n'est point de tourments qui ne me semblent doux,
Si ma fidélité les endure pour vous.

CLINDOR

Vous me rendez confus, et mon âme ravie
Ne vous peut en revanche offrir rien que ma vie.
895 Mon sang est le seul bien qui me reste en ces lieux,
Trop heureux de le perdre en servant vos beaux yeux.
Mais si mon astre un jour, changeant son influence,
Me donne un accès libre aux lieux de ma naissance,
Vous verrez que ce choix n'est pas tant inégal,
900 Et que, tout balancé, je vaux bien un rival.
Cependant, mon souci, permettez-moi de craindre
Qu'un père et ce rival ne veuillent vous contraindre.

ISABELLE

J'en sais bien le remède, et croyez qu'en ce cas
L'un aura moins d'effet que l'autre n'a d'appas.
905 Je ne vous dirai point où je suis résolue :
Il suffit que sur moi je me rends absolue [1],
Que leurs plus grands efforts sont des efforts en l'air,
Et que…

MATAMORE

C'est trop souffrir, il est temps de parler.

ISABELLE

Dieux ! on nous écoutait !

CLINDOR

                         C'est notre Capitaine,
910 Je vais bien l'apaiser, n'en soyez pas en peine.

_____

1. *Sur moi je me rends absolue* : il suffit que je dispose entièrement de moi.

Scène 9
MATAMORE, CLINDOR

MATAMORE

Ah, traître !

CLINDOR

Parlez bas : ces valets…

MATAMORE

Eh bien, quoi ?

CLINDOR

Ils fondront tout à l'heure et sur vous et sur moi.

MATAMORE

Viens çà, tu sais ton crime, et qu'à l'objet que j'aime,
Loin de parler pour moi, tu parlais pour toi-même.

CLINDOR

915 Oui, j'ai pris votre place, et vous ai mis dehors.

MATAMORE

Je te donne le choix de trois ou quatre morts.
Je vais d'un coup de poing te briser comme verre,
Ou t'enfoncer tout vif au centre de la Terre,
Ou te fendre en dix parts d'un seul coup de revers,
920 Ou te jeter si haut au-dessus des éclairs
Que tu sois dévoré des feux élémentaires[1].
Choisis donc promptement, et songe à tes affaires.

CLINDOR

Vous-même choisissez.

MATAMORE

Quel choix proposes-tu ?

---

1. *Feux élémentaires* : avec la terre, l'eau et l'air, le feu est un des quatre éléments créateurs de l'univers.

CLINDOR

De fuir en diligence[1], ou d'être bien battu.

MATAMORE

925 Me menacer encor ! Ah, ventre, quelle audace !
Au lieu d'être à genoux et d'implorer ma grâce !
Il a donné le mot, ces valets vont sortir,
Je m'en vais commander aux mers de t'engloutir.

CLINDOR

Sans vous chercher si loin un si grand cimetière,
930 Je vous vais de ce pas jeter dans la rivière.

MATAMORE

Ils sont d'intelligence, ah, tête !

CLINDOR

                   Point de bruit !
J'ai déjà massacré dix hommes cette nuit,
Et si vous me fâchez vous en croîtrez le nombre.

MATAMORE

Cadédiou, ce coquin a marché dans mon ombre !
935 Il s'est fait tout vaillant d'avoir suivi mes pas.
S'il avait du respect, j'en voudrais faire cas.
Écoute, je suis bon, et ce serait dommage
De priver l'univers d'un homme de courage :
Demande-moi pardon et quitte cet objet
940 Dont les perfections m'ont rendu son sujet ;
Tu connais ma valeur, éprouve ma clémence.

CLINDOR

Plutôt, si votre amour a tant de véhémence,
Faisons deux coups d'épée au nom de sa beauté.

MATAMORE

Parbleu, tu me ravis de générosité[2] !
945 Va, pour la conquérir n'use plus d'artifices,

---

1. *En diligence* : très vite. \ **2.** *Tu me ravis de générosité* : ton courage m'étonne.

Je te la veux donner pour prix de tes services.
Plains-toi dorénavant d'avoir un maître ingrat !

CLINDOR

À ce rare présent d'aise le cœur me bat.
Protecteur des grands Rois, guerrier trop magnanime,
950 Puisse tout l'univers bruire de votre estime !

Scène 10

ISABELLE, MATAMORE, CLINDOR

ISABELLE

Je rends grâces au Ciel de ce qu'il a permis
Qu'à la fin sans combat je vous vois bons amis.

MATAMORE

Ne pensez plus, ma Reine, à l'honneur que ma flamme
Vous devait faire un jour de vous prendre pour femme :
955 Pour quelque occasion j'ai changé de dessein ;
Mais je vous veux donner un homme de ma main.
Faites-en de l'état[1], il est vaillant lui-même :
Il commandait sous moi.

ISABELLE

Pour vous plaire, je l'aime.

CLINDOR

Mais il faut du silence à notre affection.

MATAMORE

960 Je vous promets silence et ma protection,
Avouez-vous de moi[2] par tous les coins du monde :
Je suis craint à l'égal sur la terre et sur l'onde.
Allez, vivez contents sous une même loi.

---

1. *Faites-en de l'état* : estimez-le. \ **2.** *Avouez-vous de moi* : recommandez-vous de moi.

ISABELLE

Pour vous mieux obéir je lui donne ma foi.

CLINDOR

965 Commandez que sa foi soit d'un baiser suivie.

MATAMORE

Je le veux.

Scène 11

GÉRONTE, ADRASTE, MATAMORE, CLINDOR, ISABELLE,
LYSE, TROUPE DE DOMESTIQUES

ADRASTE

Ce baiser va te coûter la vie,

Suborneur[1] !

MATAMORE

Ils ont pris mon courage en défaut,
Cette porte est ouverte, allons gagner le haut.

CLINDOR

Traître qui te fais fort d'une troupe brigande,
970 Je te choisirai bien au milieu de la bande !

GÉRONTE

Dieux ! Adraste est blessé, courez au Médecin !
Vous autres cependant, arrêtez l'assassin.

CLINDOR

Hélas, je cède au nombre ! Adieu, chère Isabelle !
Je tombe au précipice[2] où mon destin m'appelle.

GÉRONTE

975 C'en est fait. Emportez ce corps à la maison.
Et vous, conduisez tôt[3] ce traître à la prison.

_____
1. *Suborneur* : corrupteur. \ 2. *Au précipice* : dans le précipice. \ 3. *Tôt* : promptement.

Scène 12
ALCANDRE, PRIDAMANT

PRIDAMANT

Hélas ! mon fils est mort !

ALCANDRE

Que vous avez d'alarmes !

PRIDAMANT

Ne lui refusez point le secours de vos charmes.

ALCANDRE

Un peu de patience et, sans un tel secours,
980 Vous le verrez bientôt heureux en ses amours.

Acte IV

Scène première

ISABELLE.

ISABELLE

Enfin le terme approche, un jugement inique
Doit faire agir demain un pouvoir tyrannique,
À son propre assassin immoler mon amant,
Et faire une vengeance au lieu d'un châtiment.
985 Par un décret injuste autant comme[1] sévère,
Demain doit triompher la haine de mon père,
La faveur du pays, l'autorité du mort,
Le malheur d'Isabelle, et la rigueur du sort.
Hélas ! que d'ennemis, et de quelle puissance
990 Contre le faible appui que donne l'innocence,
Contre un pauvre inconnu de qui tout le forfait
C'est de m'avoir aimée et d'être trop parfait !
Oui, Clindor, tes vertus et ton feu légitime,
T'ayant acquis mon cœur, ont fait aussi ton crime ;
995 Contre elles un jaloux fit son traître dessein,
Et reçut le trépas qu'il portait dans ton sein.
Qu'il eût valu bien mieux à ta valeur trompée
Offrir ton estomac ouvert à son épée,
Puisque loin de punir ceux qui t'ont attaqué
1000 Les lois vont achever le coup qu'ils ont manqué !
Tu fusses mort alors, mais sans ignominie,

---

1. *Autant comme* : autant que.

Ta mort n'eût point laissé ta mémoire ternie,
On n'eût point vu le faible opprimé du puissant,
Ni mon pays souillé du sang d'un innocent,
1005 Ni Thémis endurer l'indigne violence
Qui pour l'assassiner emprunte sa balance[1].
Hélas ! et de quoi sert à mon cœur enflammé
D'avoir fait un beau choix et d'avoir bien aimé,
Si mon amour fatal te conduit au supplice
1010 Et m'apprête à moi-même un mortel précipice !
Car en vain après toi l'on me laisse le jour,
Je veux perdre la vie en perdant mon amour,
Prononçant ton arrêt, c'est de moi qu'on dispose,
Je veux suivre ta mort puisque j'en suis la cause,
1015 Et le même moment verra par deux trépas
Nos esprits amoureux se rejoindre là-bas.
Ainsi, père inhumain, ta cruauté déçue
De nos saintes ardeurs verra l'heureuse issue,
Et si ma perte alors fait naître tes douleurs,
1020 Auprès de mon amant je rirai de tes pleurs ;
Ce qu'un remords cuisant te coûtera de larmes
D'un si doux entretien augmentera les charmes ;
Ou s'il n'a pas assez de quoi te tourmenter,
Mon ombre chaque jour viendra t'épouvanter,
1025 S'attacher à tes pas dans l'horreur des ténèbres,
Présenter à tes yeux mille images funèbres,
Jeter dans ton esprit un éternel effroi,
Te reprocher ma mort, t'appeler après moi,
Accabler de malheurs ta languissante vie,
1030 Et te réduire au point de me porter envie.
Enfin...

---

1. *Qui pour l'assassiner emprunte sa balance* : la déesse de la Justice endure qu'on usurpe son attribut, la balance, symbole de l'équité, pour juger injustement Clindor.

Scène 2
ISABELLE, LYSE

LYSE

Quoi ! chacun dort, et vous êtes ici.
Je vous jure, Monsieur en est en grand souci.

ISABELLE

Quand on n'a plus d'espoir, Lyse, on n'a plus de crainte.
Je trouve des douceurs à faire ici ma plainte :
1035 Ici je vis Clindor pour la dernière fois ;
Ce lieu me redit mieux les accents de sa voix,
Et remet plus avant dans ma triste pensée
L'aimable souvenir de mon amour passée.

LYSE

Que vous prenez de peine à grossir vos ennuis !

ISABELLE

1040 Que veux-tu que je fasse en l'état où je suis ?

LYSE

De deux amants parfaits dont vous étiez servie,
L'un est mort, et demain l'autre perdra la vie :
Sans perdre plus de temps à soupirer pour eux,
Il en faut trouver un qui les vaille tous deux.

ISABELLE

1045 Impudente, oses-tu me tenir ces paroles ?

LYSE

Quel fruit espérez-vous de vos douleurs frivoles ?
Pensez-vous, pour pleurer et ternir vos appas,
Rappeler votre amant des portes du trépas ?
Songez plutôt à faire une illustre conquête.
1050 Je sais pour vos liens une âme toute prête,
Un homme incomparable.

ISABELLE

Ôte-toi de mes yeux.

LYSE

Le meilleur jugement ne choisirait pas mieux.

ISABELLE

Pour croître mes douleurs faut-il que je te voie ?

LYSE

Et faut-il qu'à vos yeux je déguise ma joie ?

ISABELLE

1055 D'où te vient cette joie ainsi hors de saison[1] ?

LYSE

Quand je vous l'aurai dit, jugez si j'ai raison.

ISABELLE

Ah ! ne me conte rien !

LYSE

Mais l'affaire vous touche.

ISABELLE

Parle-moi de Clindor ou n'ouvre point la bouche.

LYSE

Ma belle humeur qui rit au milieu des malheurs
1060 Fait plus en un moment qu'un siècle de vos pleurs :
Elle a sauvé Clindor.

ISABELLE

Sauvé Clindor !

LYSE

Lui-même,
Et puis, après cela, jugez si je vous aime !

ISABELLE

Et de grâce, où faut-il que je l'aille trouver ?

---

1. *Hors de saison* : mal à propos.

LYSE

Je n'ai que commencé, c'est à vous d'achever.

ISABELLE

1065 Ah, Lyse !

LYSE

Tout de bon, seriez-vous pour le suivre ?

ISABELLE

Si je suivais celui sans qui je ne puis vivre ?
Lyse, si ton esprit ne le tire des fers [1],
Je l'accompagnerai jusque dans les Enfers.
Va, ne m'informe plus [2] si je suivrais sa fuite.

LYSE

1070 Puisque à ce beau dessein l'amour vous a réduite,
Écoutez où j'en suis, et secondez mes coups :
Si votre amant n'échappe, il ne tiendra qu'à vous.
La prison est fort proche.

ISABELLE

Eh bien ?

LYSE

Le voisinage
Au frère du concierge a fait voir mon visage ;
1075 Et comme c'est tout un que me voir et m'aimer,
Le pauvre malheureux s'en est laissé charmer.

ISABELLE

Je n'en avais rien su !

LYSE

J'en avais tant de honte
Que je mourais de peur qu'on vous en fît le conte.
Mais depuis quatre jours votre amant arrêté [3]

---

1. *Des fers* : de la prison. \ 2. *Ne m'informe plus* : ne me demande plus. \ 3. *Votre amant arrêté* : l'arrestation de votre amant.

1080 A fait que, l'allant voir, je l'ai mieux écouté ;
Des yeux et du discours flattant son espérance,
D'un mutuel amour j'ai formé l'apparence[1] :
Quand on aime une fois[2] et qu'on se croit aimé,
On fait tout pour l'objet dont on est enflammé ;
1085 Par là j'ai sur son âme assuré mon empire,
Et l'ai mis en état de ne m'oser dédire[3].
Quand il n'a plus douté de mon affection,
J'ai fondé mes refus sur sa condition ;
Et lui pour m'obliger jurait de s'y déplaire,
1090 Mais que malaisément il s'en pouvait défaire,
Que les clefs des prisons qu'il gardait aujourd'hui
Étaient le plus grand bien de son frère et de lui.
Moi de prendre mon temps, que sa bonne fortune[4]
Ne lui pouvait offrir d'heure plus opportune ;
1095 Que, pour se faire riche et pour me posséder,
Il n'avait seulement qu'à s'en accommoder ;
Qu'il tenait dans ses fers un seigneur de Bretagne
Déguisé sous le nom du sieur de la Montagne ;
Qu'il fallait le sauver et le suivre chez lui ;
1100 Qu'il nous ferait du bien et serait notre appui.
Il demeure étonné, je le presse, il s'excuse ;
Il me parle d'amour, et moi je le refuse ;
Je le quitte en colère, il me suit tout confus,
Me fait nouvelle excuse, et moi nouveau refus.

ISABELLE

1105 Mais enfin ?

LYSE

J'y retourne, et le trouve fort triste ;
Je le juge ébranlé ; je l'attaque, il résiste.
Ce matin : « En un mot, le péril est pressant,
Ç'ai-je dit ; tu peux tout, et ton frère est absent.

---

1. *J'ai formé l'apparence* : j'ai donné l'apparence. \ **2.** *Quand on aime une fois* : une fois qu'on aime. \ **3.** *Dédire* : contredire. \ **4.** *Moi de prendre mon temps, que sa bonne fortune* : moi d'argumenter en détail que sa bonne fortune.

— Mais il faut de l'argent pour un si long voyage,
1110 M'a-t-il dit ; il en faut pour faire l'équipage[1] ;
Ce cavalier en manque. »

ISABELLE

Ah ! Lyse, tu devais
Lui faire offre en ce cas de tout ce que j'avais,
Perles, bagues, habits.

LYSE

J'ai bien fait encor pire :
J'ai dit que c'est pour vous que ce captif soupire,
1115 Que vous l'aimez de même et fuiriez avec nous.
Ce mot me l'a rendu si traitable[2] et si doux
Que j'ai bien reconnu qu'un peu de jalousie
Touchant votre Clindor brouillait sa fantaisie[3],
Et que tous ces délais provenaient seulement
1120 D'une vaine frayeur qu'il ne fût mon amant.
Il est parti soudain après votre amour sue[4],
A trouvé tout aisé, m'en a promis l'issue[5],
Qu'il allait y pourvoir, et que vers la mi-nuit
Vous fussiez toute prête à déloger sans bruit.

ISABELLE

1125 Que tu me rends heureuse !

LYSE

Ajoutez-y, de grâce,
Qu'accepter un mari pour qui je suis de glace,
C'est me sacrifier à vos contentements.

ISABELLE

Aussi...

---

1. *Pour faire l'équipage* : pour préparer le voyage. \ **2.** *Traitable* : aimable. \ **3.** *Sa fantaisie* : son imagination. \ **4.** *Après votre amour sue* : après avoir su votre amour. \ **5.** *A promis l'issue* : a garanti le résultat.

LYSE

Je ne veux point de vos remerciements.
Allez ployer bagage, et n'épargnez en somme
1130 Ni votre cabinet, ni celui du bonhomme[1].
Je vous vends ses trésors, mais à fort bon marché :
J'ai dérobé ses clefs depuis qu'il est couché ;
Je vous les livre.

ISABELLE

Allons faire le coup ensemble.

LYSE

Passez-vous de mon aide.

ISABELLE

Eh quoi ! le cœur te tremble ?

LYSE

1135 Non, mais c'est un secret tout propre à l'éveiller :
Nous ne nous garderions jamais de babiller.

ISABELLE

Folle, tu ris toujours !

ISABELLE

De peur d'une surprise,
Je dois attendre ici le chef de l'entreprise :
S'il tardait à la rue[2], il serait reconnu.
1140 Nous vous irons trouver dès qu'il sera venu.
C'est là sans raillerie.

ISABELLE

Adieu donc, je te laisse,
Et consens que tu sois aujourd'hui la maîtresse.

LYSE

C'est du moins[3].

---

1. *Bonhomme* : vieillard (ici Géronte). \ 2. *S'il tardait à la rue* : s'il s'attardait dans la rue. \ 3. *C'est du moins* : expression obscure : « c'est bien le moins » ou « c'est la moindre des choses ».

ISABELLE

Fais bon guet.

LYSE

Vous, faites bon butin.

Scène 3

LYSE

LYSE

Ainsi, Clindor, je fais moi seule ton destin :
1145 Des fers où je t'ai mis, c'est moi qui te délivre,
Et te puis, à mon choix, faire mourir ou vivre.
On me vengeait de toi par-delà mes désirs ;
Je n'avais de dessein que contre tes plaisirs ;
Ton sort trop rigoureux m'a fait changer d'envie
1150 Je te veux assurer tes plaisirs et ta vie,
Et mon amour éteint te voyant en danger,
Renaît pour m'avertir que c'est trop me venger.
J'espère aussi, Clindor, que pour reconnaissance,
Tu réduiras pour moi tes vœux dans l'innocence ;
1155 Qu'un mari me tenant en sa possession,
Sa présence vaincra ta folle passion ;
Ou que, si cette ardeur encore te possède,
Ma maîtresse avertie y mettra bon remède.

Scène 4

MATAMORE, ISABELLE, LYSE

ISABELLE

Quoi ! chez nous et de nuit !

MATAMORE

L'autre jour…

ISABELLE

Qu'est ceci,
1160 L'autre jour ? Est-il temps que je vous trouve ici ?

LYSE

C'est ce grand Capitaine ? où s'est-il laissé prendre ?

ISABELLE

En montant l'escalier, je l'en ai vu descendre.

MATAMORE

L'autre jour, au défaut de mon affection,
J'assurai vos appas de ma protection.

ISABELLE

1165 Après ?

MATAMORE

On vint ici faire une brouillerie.
Vous rentrâtes, voyant cette forfanterie[1],
Et pour vous protéger je vous suivis soudain.

ISABELLE

Votre valeur prit lors un généreux dessein.
Depuis ?

MATAMORE

Pour conserver une dame si belle,
1170 Au plus haut du logis j'ai fait la sentinelle.

ISABELLE

Sans sortir ?

MATAMORE

Sans sortir.

---

1. *Forfanterie* : forfait, trahison.

LYSE

C'est-à-dire en deux mots,
Qu'il s'est caché de peur dans la chambre aux fagots.

MATAMORE

De peur ?

LYSE

Oui, vous tremblez, la vôtre est sans égale.

MATAMORE

Parce qu'elle a bon pas, j'en fais mon Bucéphale [1].
1175 Lorsque je la domptai, je lui fis cette loi,
Et depuis, quand je marche, elle tremble sous moi.

LYSE

Votre caprice est rare à choisir des montures.

MATAMORE

C'est pour aller plus vite aux grandes aventures.

ISABELLE

Vous en exploitez bien [2], mais changeons de discours :
1180 Vous avez demeuré là-dedans quatre jours ?

MATAMORE

Quatre jours.

ISABELLE

Et vécu ?

MATAMORE

De Nectar, d'Ambroisie [3].

LYSE

Je crois que cette viande [4] aisément rassasie.

---

1. *Bucéphale* : cheval préféré d'Alexandre le Grand. \ **2.** *Vous en exploitez bien* : vous en usez bien. \ **3.** *Nectar, Ambroisie* : boisson et nourriture des dieux de l'Olympe dans la mythologie grecque. \ **4.** *Viande* : nourriture.

MATAMORE

Aucunement [1].

ISABELLE

Enfin vous étiez descendu...

MATAMORE

Pour faire qu'un amant en vos bras fût rendu,
1185 Pour rompre sa prison, en fracasser les portes,
Et briser en morceaux ses chaînes les plus fortes.

LYSE

Avouez franchement que pressé de la faim,
Vous veniez bien plutôt faire la guerre au pain.

MATAMORE

L'un et l'autre, parbleu! Cette Ambroisie est fade;
1190 J'en eus au bout d'un jour l'estomac tout malade;
C'est un mets délicat, et de peu de soutien :
À moins que d'être un Dieu, l'on n'en vivrait pas bien,
Il cause mille maux, et dès l'heure qu'il entre,
Il allonge les dents et rétrécit le ventre.

LYSE

1195 Enfin, c'est un ragoût [2] qui ne vous plaisait pas?

MATAMORE

Quitte pour, chaque nuit, faire deux tours en bas,
Et là, m'accommodant des reliefs [3] de cuisine,
Mêler la viande humaine avecque la divine.

ISABELLE

Vous aviez, après tout, dessein de nous voler!

MATAMORE

1200 Vous-mêmes après tout m'osez-vous quereller?
Si je laisse une fois échapper ma colère...

---

1. *Aucunement* : en quelque façon. \ **2.** *Ragoût* : mets délicat. \ **3.** *Reliefs* : restes du repas.

ISABELLE

Lyse, fais-moi sortir les valets de mon père.

MATAMORE

Un sot les attendrait.

Scène 5

ISABELLE, LYSE

LYSE

Vous ne le tenez pas.

ISABELLE

Il nous avait bien dit que la peur a bon pas.

LYSE

1205 Vous n'avez cependant rien fait ou peu de chose ?

ISABELLE

Rien du tout, que veux-tu ? sa rencontre en est cause.

LYSE

Mais vous n'aviez alors qu'à le laisser aller.

ISABELLE

Mais il m'a reconnue et m'est venu parler.
Moi qui seule et de nuit craignais son insolence,
1210 Et beaucoup plus encor de troubler le silence,
J'ai cru, pour m'en défaire et m'ôter de souci,
Que le meilleur était de l'amener ici.
Vois quand j'ai ton secours que je me tiens vaillante,
Puisque j'ose affronter cette humeur violente !

LYSE

1215 J'en ai ri comme vous, mais non sans murmurer :
C'est bien du temps perdu.

ISABELLE
Je le vais réparer.

LYSE
Voici le conducteur de notre intelligence[1].
Sachez auparavant toute sa diligence[2].

Scène 6

ISABELLE, LYSE, LE GEÔLIER

ISABELLE
Eh bien, mon grand ami, braverons-nous le sort,
1220 Et viens-tu m'apporter ou la vie, ou la mort ?
Ce n'est plus qu'en toi seul que notre espoir se fonde.

LE GEÔLIER
Madame, grâce aux Dieux, tout va le mieux du monde :
Il ne faut que partir, j'ai des chevaux tout prêts.
Et vous pourrez bientôt vous moquer des arrêts[3].

ISABELLE
1225 Ah ! que tu me ravis, et quel digne salaire
Pourrai-je présenter à mon dieu tutélaire[4] ?

LE GEÔLIER
Voici la récompense où mon désir prétend.

ISABELLE
Lyse, il faut se résoudre à le rendre content.

LYSE
Oui, mais tout son apprêt nous est fort inutile :
1230 Comment ouvrirons-nous les portes de la ville ?

---

1. *Le conducteur de notre intelligence* : celui qui conduit notre plan. \ 2. *Diligence* : empresse-ment. \ 3. *Arrêts* : décisions de justice. \ 4. *Dieu tutélaire* : protecteur.

LE GEÔLIER

On nous tient des chevaux en main sûre aux faubourgs,
Et je sais un vieux mur qui tombe tous les jours :
Nous pourrons aisément sortir par ces ruines.

ISABELLE

Ah ! que je me trouvais sur d'étranges épines !

LE GEÔLIER

1235 Mais il faut se hâter.

ISABELLE

           Nous partirons soudain.
Viens nous aider là-haut à faire notre main[1].

Scène 7

CLINDOR

CLINDOR, *en prison*

Aimables souvenirs de mes chères délices
Qu'on va bientôt changer en d'infâmes supplices,
Que, malgré les horreurs de ce mortel effroi,
1240 Vous avez de douceurs et de charmes pour moi !
Ne m'abandonnez point, soyez-moi plus fidèles
Que les rigueurs du sort ne se montrent cruelles ;
Et lorsque du trépas les plus noires couleurs
Viendront à mon esprit figurer mes malheurs,
1245 Figurez aussitôt à mon âme interdite[2]
Combien je fus heureux par-delà mon mérite ;
Lorsque je me plaindrai de leur sévérité,
Redites-moi l'excès de ma témérité,
Que d'un si haut dessein ma fortune incapable
1250 Rendait ma flamme injuste et mon espoir coupable,
Que je fus criminel quand je devins amant,
Et que ma mort en est le juste châtiment.

---

1. *Faire notre main* : faire notre profit, notre butin. \ **2.** *Interdite* : troublée.

Quel bonheur m'accompagne à la fin de ma vie !
Isabelle, je meurs pour vous avoir servie,
1255 Et, de quelque tranchant que je souffre les coups,
Je meurs trop glorieux, puisque je meurs pour vous.
Hélas ! que je me flatte, et que j'ai d'artifice
Pour déguiser la honte et l'horreur d'un supplice !
Il faut mourir enfin, et quitter ces beaux yeux
1260 Dont le fatal amour me rend si glorieux :
L'ombre d'un meurtrier cause encor ma ruine ;
Il succomba vivant et, mort, il m'assassine ;
Son nom fait contre moi ce que n'a pu son bras ;
Mille assassins nouveaux naissent de son trépas,
1265 Et je vois de son sang fécond en perfidies
S'élever contre moi des âmes plus hardies,
De qui les passions s'armant d'autorité
Font un meurtre public avec impunité !
Demain, de mon courage, ils doivent faire un crime,
1270 Donner au déloyal ma tête pour victime,
Et tous pour le pays prennent tant d'intérêt,
Qu'il ne m'est pas permis de douter de l'arrêt.
Ainsi de tous côtés ma perte était certaine :
J'ai repoussé la mort, je la reçois pour peine ;
1275 D'un péril évité je tombe en un nouveau,
Et des mains d'un rival en celles d'un bourreau.
Je frémis au penser de ma triste aventure ;
Dans le sein du repos je suis à la torture ;
Au milieu de la nuit et du temps du sommeil
1280 Je vois de mon trépas le honteux appareil ;
J'en ai devant les yeux les funestes ministres [1] ;
On me lit du Sénat [2] les mandements [3] sinistres ;
Je sors les fers aux pieds, j'entends déjà le bruit
De l'amas insolent d'un peuple qui me suit ;
1285 Je vois le lieu fatal où ma mort se prépare ;
Là, mon esprit se trouble et ma raison s'égare ;

---

1. *Ministres* : exécutants. \ 2. *Sénat* : tribunal. \ 3. *Mandements* : arrêts, décisions.

Je ne découvre rien propre à me secourir,
Et la peur de la mort me fait déjà mourir !
Isabelle, toi seule, en réveillant ma flamme
1290 Dissipes ces terreurs et rassures mon âme !
Aussitôt que je pense à tes divins attraits,
Je vois évanouir[1] ces infâmes portraits[2] ;
Quelques rudes assauts que le malheur me livre,
Garde mon souvenir et je croirai revivre.
1295 Mais d'où vient que de nuit on ouvre ma prison ?
Ami, que viens-tu faire ici hors de saison ?

Scène 8

CLINDOR, LE GEÔLIER

LE GEÔLIER

Les juges assemblés pour punir votre audace,
Mus de compassion, enfin vous ont fait grâce.

CLINDOR

M'ont fait grâce, bons Dieux !

LE GEÔLIER

                              Oui, vous mourrez de nuit.

CLINDOR

1300 De leur compassion est-ce là tout le fruit ?

LE GEÔLIER

Que de cette faveur vous tenez peu de compte !
D'un supplice public c'est vous sauver la honte.

CLINDOR

Quels encens puis-je offrir aux maîtres de mon sort,
Dont l'arrêt me fait grâce et m'envoie à la mort ?

---

1. *Évanouir* : s'évanouir. \ 2. *Portraits* : images.

LE GEÔLIER

1305 Il la faut recevoir avec meilleur visage.

CLINDOR

Fais ton office, ami, sans causer davantage.

LE GEÔLIER

Une troupe d'Archers là dehors vous attend ;
Peut-être en les voyant serez-vous plus content.

Scène 9

CLINDOR, ISABELLE, LYSE, LE GEÔLIER

ISABELLE

Lyse, nous l'allons voir !

LYSE

Que vous êtes ravie !

ISABELLE

1310 Ne le serais-je point de recevoir la vie ?
Son destin et le mien prennent un même cours,
Et je mourrais du coup qui trancherait ses jours.

LE GEÔLIER

Monsieur, connaissez-vous beaucoup d'archers semblables ?

CLINDOR

Ma chère âme, est-ce vous ? surprises adorables !
1315 Trompeur trop obligeant, tu disais bien vraiment
Que je mourrais de nuit, mais de contentement !

ISABELLE

Mon heur !

LE GEÔLIER

Ne perdons point le temps à ces caresses ;
Nous aurons tout loisir de baiser nos maîtresses.

CLINDOR

Quoi ! Lyse est donc la sienne !

ISABELLE

Écoutez le discours
1320 De votre liberté qu'ont produit leurs amours.

LE GEÔLIER

En lieu de sûreté le babil est de mise,
Mais ici, ne songeons qu'à nous ôter de prise [1].

ISABELLE

Sauvons-nous. Mais avant, promettez-nous tous deux
Jusqu'au jour d'un Hymen de modérer vos feux.
1325 Autrement, nous rentrons.

CLINDOR

Que cela ne vous tienne :
Je vous donne ma foi.

LE GEÔLIER

Lyse, reçois la mienne.

ISABELLE

Sur un gage si bon, j'ose tout hasarder.

LE GEÔLIER

Nous nous amusons trop, hâtons-nous d'évader [2].

Scène 10

ALCANDRE, PRIDAMANT

ALCANDRE

Ne craignez plus pour eux ni péril ni disgrâces.
1330 Beaucoup les poursuivront, mais sans trouver leurs traces.

---

1. *Nous ôter de prise* : nous mettre hors de portée des poursuivants. \ **2.** *Évader* : de nous évader.

PRIDAMANT

À la fin je respire.

ALCANDRE

                    Après un tel bonheur.
Deux ans les ont montés en haut degré d'honneur.
Je ne vous dirai point le cours de leurs voyages,
S'ils ont trouvé le calme ou vaincu les orages,
1335 Ni par quel art non plus ils se sont élevés ;
Il suffit d'avoir vu comme ils se sont sauvés,
Et que, sans vous en faire une histoire importune,
Je vous les vais montrer en leur haute fortune.
Mais, puisqu'il faut passer à des effets plus beaux,
1340 Rentrons pour évoquer des fantômes nouveaux :
Ceux que vous avez vus représenter de suite [1]
À vos yeux étonnés leurs amours et leur fuite,
N'étant pas destinés aux hautes fonctions
N'ont point assez d'éclat pour leurs conditions.

---

1. *De suite* : à la suite.

Acte V

Scène première

ALCANDRE, PRIDAMANT

PRIDAMANT

1345 Qu'Isabelle est changée et qu'elle est éclatante !

ALCANDRE

Lyse marche après elle et lui sert de suivante.
Mais, derechef[1], surtout n'ayez aucun effroi,
Et de ce lieu fatal ne sortez qu'après moi :
Je vous le dis encore, il y va de la vie.

PRIDAMANT

1350 Cette condition m'en ôtera l'envie.

Scène 2

ISABELLE, LYSE

LYSE

Ce divertissement n'aura-t-il point de fin,
Et voulez-vous passer la nuit dans ce jardin ?

---

1. *Derechef* : encore une fois.

ISABELLE

Je ne puis plus cacher le sujet qui m'amène ;
C'est grossir mes douleurs que de taire ma peine :
1355 Le prince Florilame...

LYSE

Eh bien, il est absent !

ISABELLE

C'est la source des maux que mon âme ressent.
Nous sommes ses voisins, et l'amour qu'il nous porte
Dedans son grand jardin nous permet cette porte [1] :
La Princesse Rosine et mon perfide époux,
1360 Durant qu'il est absent, en font leur rendez-vous.
Je l'attends au passage, et lui ferai connaître
Que je ne suis pas femme à rien souffrir d'un traître.

LYSE

Madame, croyez-moi, loin de le quereller,
Vous feriez beaucoup mieux de tout dissimuler.
1365 Ce n'est pas bien à nous d'avoir des jalousies :
Un homme en court plutôt après ses fantaisies ;
Il est toujours le maître, et tout votre discours,
Par un contraire effet, l'obstine en ses amours.

ISABELLE

Je dissimulerai son adultère flamme !
1370 Une autre aura son cœur, et moi le nom de femme !
Sans crime d'un Hymen [2] peut-il rompre la loi ?
Et ne rougit-il point d'avoir si peu de foi ?

LYSE

Cela fut bon jadis, mais au temps où nous sommes,
Ni l'Hymen ni la foi n'obligent plus les hommes.
1375 Madame, leur honneur a des règles à part :
Où le vôtre se perd, le leur est sans hasard [3],

---

1. *Nous permet cette porte* : nous permet d'utiliser cette porte. \ 2. *Hymen* : mariage.
\ 3. *Hasard* : risque, danger.

Et la même action, entre eux et nous commune,
Est pour nous déshonneur, pour eux bonne fortune.
La chasteté n'est plus la vertu d'un mari ;
1380 La Princesse du vôtre a fait son favori ;
Sa réputation croîtra par ses caresses ;
L'honneur d'un galant homme est d'avoir des maîtresses.

ISABELLE

Ôte-moi cet honneur et cette vanité
De se mettre en crédit[1] par l'infidélité.
1385 Si, pour haïr le change[2] et vivre sans amie,
Un homme comme lui tombe dans l'infamie,
Je le tiens glorieux d'être infâme à ce prix ;
S'il en est méprisé, j'estime ce mépris :
Le blâme qu'on reçoit d'aimer trop une femme
1390 Aux maris vertueux est un illustre blâme.

LYSE

Madame, il vient d'entrer : la porte a fait du bruit.

ISABELLE

Retirons-nous, qu'il passe.

LYSE

　　　　　　　　Il vous voit, et vous suit.

Scène 3

CLINDOR, ISABELLE, LYSE

CLINDOR

Vous fuyez, ma Princesse, et cherchez des remises[3] !
Sont-ce là les faveurs que vous m'aviez promises ?
1395 Où sont tant de baisers dont votre affection

---

1. *Se mettre en crédit* : attirer la considération. \ **2.** *Le change* : le changement, l'inconstance.
\ **3.** *Cherchez des remises* : vous cherchez à remettre notre rencontre.

Devait être prodigue à ma réception ?
Voici l'heure et le lieu, l'occasion est belle :
Je suis seul, vous n'avez que cette Damoiselle
Dont la dextérité ménagea nos amours ;
1400 Le temps est précieux, et vous fuyez toujours !
Vous voulez, je m'assure, avec ces artifices,
Que les difficultés augmentent nos délices.
À la fin, je vous tiens. Quoi ! vous me repoussez !
Que craignez-vous encor ? Mauvaise, c'est assez :
1405 Florilame est absent, ma jalouse[1] endormie.

ISABELLE

En êtes-vous bien sûr ?

CLINDOR
Ah ! fortune ennemie !

ISABELLE
Je veille, déloyal, ne crois plus m'aveugler ;
Au milieu de la nuit, je ne vois que trop clair :
Je vois tous mes soupçons passer en certitudes,
1410 Et ne puis plus douter de tes ingratitudes.
Toi-même par ta bouche a trahi ton secret.
Ô l'esprit avisé pour un amant discret !
Et que c'est en amour une haute prudence,
D'en faire avec sa femme entière confidence !
1415 Où sont tant de serments de n'aimer rien que moi ?
Qu'as-tu fait de ton cœur ? Qu'as-tu fait de ta foi ?
Lorsque je la reçus, ingrat, qu'il te souvienne
De combien différaient ta fortune et la mienne,
De combien de rivaux je dédaignai les vœux,
1420 Ce qu'un simple soldat pouvait être auprès d'eux,
Quelle tendre amitié je recevais d'un père :
Je l'ai quitté pourtant pour suivre ta misère,
Et je tendis les bras à mon enlèvement,
Ne pouvant être à toi de son consentement.

---

1. *Ma jalouse* : mon épouse jalouse.

1425 En quelle extrémité depuis ne m'ont réduite
Les hasards dont le sort a traversé ta fuite [1],
Et que n'ai-je souffert avant que le bonheur
Élevât ta bassesse à ce haut rang d'honneur !
Si pour te voir heureux ta foi s'est relâchée,
1430 Rends-moi dedans le sein dont tu m'as arrachée [2] :
Je t'aime, et mon amour m'a fait tout hasarder
Non pas pour tes grandeurs, mais pour te posséder.

CLINDOR

Ne me reproche plus ta fuite ni ta flamme :
Que ne fait point l'amour quand il possède une âme ?
1435 Son pouvoir à ma vue attachait tes plaisirs,
Et tu me suivais moins que tes propres désirs.
J'étais lors peu de chose, oui, mais qu'il te souvienne
Que ta fuite égala ta fortune à la mienne
Et que, pour t'enlever, c'était un faible appas
1440 Que l'éclat de tes biens qui ne te suivaient pas !
Je n'eus, de mon côté, que l'épée en partage,
Et ta flamme, du tien, fut mon seul avantage :
Celle-là m'a fait grand en ces bords [3] étrangers ;
L'autre exposa ma tête en cent et cent dangers.
1445 Regrette maintenant ton père et tes richesses !
Fâche-toi de marcher à côté des Princesses !
Retourne en ton pays, avecque tous tes biens,
Chercher un rang pareil à celui que tu tiens !
Qui te manque, après tout ? de quoi peux-tu te plaindre ?
1450 En quelle occasion m'as-tu vu te contraindre ?
As-tu reçu de moi ni froideurs, ni mépris ?
Les femmes, à vrai dire, ont d'étranges esprits :
Qu'un mari les adore, et qu'une amour extrême
À leur bizarre humeur se soumette lui-même,
1455 Qu'il les comble d'honneurs et de bons traitements,

---

1. *Les hasards dont le sort a traversé ta fuite* : les hasards par lesquels le sort a fait obstacle à ta fuite. \ **2.** *Rends-moi dedans le sein dont tu m'as arrachée* : si le bonheur provoque un relâchement de ton engagement, rends-moi à ma famille. \ **3.** *Ces bords* : ces rivages.

Qu'il ne refuse rien à leurs contentements,
Fait-il la moindre brèche à la foi conjugale,
Il n'est point à leur gré de crime qui l'égale :
C'est vol, c'est perfidie, assassinat, poison,
1460 C'est massacrer son père et brûler sa maison,
Et jadis des Titans l'effroyable supplice
Tomba sur Encelade[1] avec moins de justice.

ISABELLE

Je te l'ai déjà dit, que toute ta grandeur
Ne fut jamais l'objet de ma sincère ardeur :
1465 Je ne suivais que toi quand je quittai mon père.
Mais puisque ces grandeurs t'ont fait l'âme légère,
Laisse mon intérêt, songe à qui tu les dois.
Florilame lui seul t'a mis où tu te vois :
À peine il te connut qu'il te tira de peine ;
1470 De soldat vagabond, il te fit Capitaine,
Et le rare bonheur qui suivit cet emploi
Joignit à ses faveurs les faveurs de son Roi ;
Quelle forte amitié n'a-t-il point fait paraître
À cultiver depuis ce qu'il avait fait naître !
1475 Par ses soins redoublés n'es-tu pas aujourd'hui
Un peu moindre de rang, mais plus puissant que lui ?
Il eût gagné par là l'esprit le plus farouche,
Et pour remerciement tu va souiller sa couche ?
Dans ta brutalité trouve quelque raison,
1480 Et contre ses faveurs défends ta trahison.
Il t'a comblé de biens, tu lui voles son âme ;
Il t'a fait grand seigneur, et tu le rends infâme !
Ingrat, c'est donc ainsi que tu rends les bienfaits ?
Et ta reconnaissance a produit ces effets !

CLINDOR

1485 Mon âme (car encor ce beau nom te demeure,
Et te demeurera jusqu'à tant que je meure),

---

1. *Encelade* : le plus fameux des Géants (confondu ici avec les Titans) qui se révoltèrent contre les dieux et furent vaincus.

Crois-tu qu'aucun respect ou crainte du trépas
Puisse obtenir sur moi ce que tu n'obtiens pas ?
Dis que je suis ingrat, appelle-moi parjure,
1490 Mais à nos feux sacrés ne fais plus tant d'injure :
Ils conservent encor leur première vigueur.
Je t'aime, et si l'amour qui m'a surpris le cœur
Avait pu s'étouffer au point de sa naissance,
Celui que je te porte eût eu cette puissance.
1495 Mais en vain contre lui l'on tâche à résister :
Toi-même as éprouvé qu'on ne le peut dompter.
Ce Dieu qui te força d'abandonner ton père,
Ton pays et tes biens, pour suivre ma misère,
Ce Dieu même à présent malgré moi m'a réduit
1500 À te faire un larcin des plaisirs d'une nuit.
À mes sens déréglés souffre cette licence,
Une pareille amour meurt dans la jouissance ;
Celle dont la vertu n'est point le fondement
Se détruit de soi-même et passe en un moment ;
1505 Mais celle qui nous joint est une amour solide,
Où l'honneur a son lustre[1], où la vertu préside,
Dont les fermes liens durent jusqu'au trépas
Et dont la jouissance a de nouveaux appas.
Mon âme, derechef pardonne à la surprise
1510 Que ce tyran des cœurs a faite à ma franchise[2] ;
Souffre une folle ardeur qui ne vivra qu'un jour,
Et n'affaiblit en rien un conjugal amour.

ISABELLE

Hélas ! que j'aide bien à m'abuser moi-même !
Je vois qu'on me trahit, et je crois que l'on m'aime ;
1515 Je me laisse charmer à ce discours flatteur,
Et j'excuse un forfait dont j'adore l'auteur !
Pardonne, cher époux, au peu de retenue
Où d'un premier transport la chaleur est venue :
C'est en ces accidents[3] manquer d'affection

---

1. *Lustre* : éclat. \ 2. *Franchise* : liberté. \ 3. *Accidents* : événements.

1520 Que de les voir sans trouble et sans émotion.
Puisque mon teint se fane et ma beauté se passe,
Il est bien juste aussi que ton amour se lasse ;
Et même je croirai que ce feu passager
En l'amour conjugal ne pourra rien changer.
1525 Songe un peu toutefois à qui ce feu s'adresse,
En quel péril te jette une telle maîtresse ;
Dissimule, déguise et sois amant discret.
Les grands en leur amour n'ont jamais de secret :
Ce grand train qu'à leurs pas leur grandeur propre attache [1]
1530 N'est qu'un grand corps tout d'yeux à qui rien ne se cache,
Et dont il n'est pas un qui ne fît son effort
À se mettre en faveur par un mauvais rapport [2].
Tôt ou tard Florilame apprendra tes pratiques
Ou de sa défiance ou de ses domestiques,
1535 Et lors (à ce penser je frissonne d'horreur),
À quelle extrémité n'ira point sa fureur ?
Puisque à ces passe-temps ton humeur te convie,
Cours après tes plaisirs, mais assure ta vie ;
Sans aucun sentiment je te verrai changer,
1540 Pourvu qu'à tout le moins tu changes sans danger.

CLINDOR

Encor une fois donc tu veux que je te die
Qu'auprès de mon amour je méprise ma vie ?
Mon âme est trop atteinte, et mon cœur trop blessé,
Pour craindre les périls dont je suis menacé.
1545 Ma passion m'aveugle et pour cette conquête
Croit hasarder trop peu de hasarder ma tête ;
C'est un feu que le temps pourra seul modérer ;
C'est un torrent qui passe, et ne saurait durer.

ISABELLE

Eh bien, cours au trépas, puisqu'il a tant de charmes
1550 Et néglige ta vie aussi bien que mes larmes.

---

1. *Ce grand train qu'à leurs pas leur grandeur propre attache* : les courtisans qui suivent les grands personnages. \ **2.** *Un mauvais rapport* : un témoignage malveillant, une médisance.

Penses-tu que ce prince après un tel forfait
Par ta punition se tienne satisfait ?
Qui sera mon appui lorsque ta mort infâme
À sa juste vengeance exposera ta femme ?
1555 Et que sur la moitié d'un perfide étranger,
Une seconde fois il croira se venger ?
Non, je n'attendrai pas que ta perte certaine
Attire encor sur moi les restes de ta peine,
Et que, de mon honneur gardé si chèrement,
1560 Il fasse un sacrifice à son ressentiment.
Je préviendrai la honte où ton malheur me livre,
Et saurai bien mourir si tu ne veux pas vivre.
Ce corps, dont mon amour t'a fait le possesseur,
Ne craindra plus bientôt l'effort [1] d'un ravisseur ;
1565 J'ai vécu pour t'aimer, mais non pour l'infamie
De servir au mari de ton illustre amie.
Adieu, je vais du moins, en mourant devant toi,
Diminuer ton crime et dégager ta foi.

CLINDOR

Ne meurs pas, chère épouse, et dans un second change
1570 Vois l'effet merveilleux où ta vertu me range.
M'aimer malgré mon crime, et vouloir par ta mort
Éviter le hasard de quelque indigne effort !
Je ne sais qui [2] je dois admirer davantage
Ou de ce grand amour, ou de ce grand courage :
1575 Tous les deux m'ont vaincu, je reviens sous tes lois,
Et la brutale ardeur va rendre les abois [3].
C'en est fait, elle expire et mon âme plus saine
Vient de rompre les nœuds de sa honteuse chaîne.
Mon cœur, quand il fut pris, s'était mal défendu,
1580 Perds-en le souvenir.

ISABELLE

Je l'ai déjà perdu.

---

1. *Effort* : violence. \ **2.** *Qui* : ce que. \ **3.** *Rendre les abois* : mourir.

CLINDOR

Que les plus beaux objets qui soient dessus la Terre
Conspirent désormais à lui faire la guerre,
Ce cœur, inexpugnable aux assauts de leurs yeux,
1585 N'aura plus que les tiens pour maîtres et pour dieux !
Que leurs attraits unis…

LYSE

La princesse s'avance,
Madame.

CLINDOR

Cachez-vous, et nous faites silence.
Écoute-nous, mon âme et par notre entretien
Juge si son objet m'est plus cher que le tien.

Scène 4

CLINDOR, ROSINE

ROSINE

Débarrassée enfin d'une importune suite,
1590 Je remets à l'amour le soin de ma conduite,
Et pour trouver l'auteur de ma félicité,
Je prends un guide aveugle en cette obscurité.
Mais que son épaisseur me dérobe la vue !
Le moyen de le voir, ou d'en être aperçue !
1595 Voici la grande allée, il devrait être ici,
Et j'entrevois quelqu'un. Est-ce toi, mon souci [1] ?

CLINDOR

Madame, l'ôtez ce mot dont la feinte se joue,
Et que votre vertu dans l'âme désavoue.
C'est assez déguisé, ne dissimulez plus

---

1. *Mon souci* : l'objet de mes soins attentifs.

1600 L'horreur que vous avez de mes feux dissolus.
Vous avez voulu voir jusqu'à quelle insolence
D'une amour déréglée irait la violence ;
Vous l'avez vu, Madame, et c'est pour la punir
Que vos ressentiments vous font ici venir ;
1605 Faites sortir vos gens destinés à ma perte,
N'épargnez point ma tête, elle vous est offerte ;
Je veux bien par ma mort apaiser vos beaux yeux,
Et ce n'est pas l'espoir qui m'amène en ces lieux.

ROSINE

Donc, au lieu d'un amour rempli d'impatience,
1610 Je ne rencontre en toi que de la défiance [1] ?
As-tu l'esprit troublé de quelque illusion ?
Est-ce ainsi qu'un guerrier tremble à l'occasion [2] ?
Je suis seule, et toi seul, d'où te vient cet ombrage [3] ?
Te faut-il de ma flamme un plus grand témoignage ?
1615 Crois que je suis sans feinte à toi jusqu'à la mort.

CLINDOR

Je me garderai bien de vous faire ce tort ;
Une grande Princesse a la vertu plus chère.

ROSINE

Si tu m'aimes, mon cœur, quitte cette chimère [4].

CLINDOR

Ce n'en est point, Madame, et je crois voir en vous
1620 Plus de fidélité pour un si digne époux.

ROSINE

Je la quitte pour toi. Mais, Dieux ! que je m'abuse
De ne pas voir encor qu'un ingrat me refuse !
Son cœur n'est plus que glace, et mon aveugle ardeur
Impute à défiance un excès de froideur.
1625 Va, traître, va, parjure, après m'avoir séduite,

---

1. *Défiance* : soupçon. \ **2.** *À l'occasion* : à la bataille. \ **3.** *Ombrage* : inquiétude. \ **4.** *Chimère* : idée extravagante.

Ce sont là des discours d'une mauvaise suite !
Alors que je me rends de quoi me parles-tu ?
Et qui t'amène ici me prêcher la vertu ?

CLINDOR

Mon respect, mon devoir et ma reconnaissance
1630 Dessus mes passions ont eu cette puissance.
Je vous aime, Madame, et mon fidèle amour
Depuis qu'on l'a vu naître a crû de jour en jour ;
Mais que ne dois-je point au prince Florilame ?
C'est lui dont le respect triomphe de ma flamme,
1635 Après que sa faveur m'a fait ce que je suis...

ROSINE

Tu t'en veux souvenir pour me combler d'ennuis [1].
Quoi son respect peut plus que l'ardeur qui te brûle ?
L'incomparable ami, mais l'amant ridicule,
D'adorer une femme et s'en voir si chéri,
1640 Et craindre au rendez-vous d'offenser un mari !
Traître, il n'en est plus temps ! Quand tu me fis paraître
Cette excessive amour qui commençait à naître,
Et que le doux appas d'un discours suborneur [2]
Avec un faux mérite attaqua mon honneur,
1645 C'est lors qu'il te fallait à ta flamme infidèle
Opposer le respect d'une amitié si belle,
Et tu ne devais pas attendre à l'écouter
Quand mon esprit charmé ne le pourrait goûter !
Tes raisons vers tous deux sont de faibles défenses :
1650 Tu l'offensas alors, aujourd'hui tu m'offenses ;
Tu m'aimais plus que lui, tu l'aimes plus que moi.
Crois-tu donc à mon cœur donner ainsi la loi,
Que ma flamme à ton gré s'éteigne ou s'entretienne,
Et que ma passion suive toujours la tienne ?
1655 Non, non, usant si mal de ce qui t'est permis,
Loin d'en éviter un, tu fais deux ennemis.

---

1. *Ennuis* : chagrins, tourments. \ 2. *Suborneur* : corrupteur.

Je sais trop les moyens d'une vengeance aisée :
Phèdre contre Hippolyte aveugla bien Thésée [1],
Et ma plainte armera plus de sévérité
1660 Avec moins d'injustice et plus de vérité.

CLINDOR

Je sais bien que j'ai tort, et qu'après mon audace,
Je vous fais un discours de fort mauvaise grâce,
Qu'il sied mal à ma bouche, et que ce grand respect
Agit un peu bien tard pour n'être point suspect.
1665 Mais pour souffrir plutôt la raison dans mon âme,
Vous aviez trop d'appas, et mon cœur trop de flamme :
Elle n'a triomphé qu'après un long combat.

ROSINE

Tu crois donc triompher lorsque ton cœur s'abat ?
Si tu nommes victoire un manque de courage,
1670 Appelle encor service un si cruel outrage,
Et puisque me trahir c'est suivre la raison,
Dis-moi que tu me sers par cette trahison !

CLINDOR

Madame, est-ce vous rendre un si mauvais service
De sauver votre honneur d'un mortel précipice ?
1675 Cet honneur qu'une Dame a plus cher que les yeux !

ROSINE

Cesse de m'étourdir de ces noms odieux !
N'as-tu jamais appris que ces vaines chimères
Qui naissent aux cerveaux des maris et des mères,
Ces vieux contes d'honneur n'ont point d'impressions
1680 Qui puissent arrêter les fortes passions ?
Perfide, est-ce de moi que tu le dois apprendre ?
Dieux ! jusques où l'amour ne me fait point descendre !
Je lui tiens des discours qu'il me devrait tenir,
Et toute mon ardeur ne peut rien obtenir !

---

1. *Je sais trop les moyens {…} Thésée* : Phèdre, femme de Thésée et amoureuse de son beau-fils Hippolyte, se vengea de son refus en l'accusant d'avoir voulu abuser d'elle.

CLINDOR

1685 Par l'effort que je fais à mon amour extrême,
Madame, il faut apprendre à vous vaincre vous-même,
À faire violence à vos plus chers désirs,
Et préférer l'honneur à d'injustes plaisirs,
Dont au moindre soupçon, au moindre vent contraire,
1690 La honte et les malheurs sont la suite ordinaire.

ROSINE

De tous ces accidents rien ne peut m'alarmer,
Je consens de périr à force de t'aimer.
Bien que notre commerce[1] aux yeux de tous se cache,
Qu'il vienne en évidence et qu'un mari le sache,
1695 Que je demeure en butte à ses ressentiments,
Que sa fureur me livre à de nouveaux tourments,
J'en souffrirai plutôt l'infamie éternelle
Que de me repentir d'une flamme si belle.

Scène 5

CLINDOR, ROSINE, ISABELLE, LYSE, PRIDAMANT, ÉRASTE,
TROUPE DE DOMESTIQUES

ÉRASTE

Donnons[2], ils sont ensemble.

ISABELLE

Ô Dieux ! qu'ai-je entendu ?

LYSE

1700 Madame, sauvons-nous !

PRIDAMANT

Hélas ! il est perdu !

---

1. *Notre commerce* : notre relation. \ **2.** *Donnons* : donnons l'assaut.

CLINDOR

Madame, je suis mort, et votre amour fatale
Par un indigne coup aux Enfers me dévale [1].

ROSINE

Je meurs, mais je me trouve heureuse en mon trépas
Que du moins en mourant je vais suivre tes pas.

ÉRASTE

1705 Florilame est absent, mais durant son absence,
C'est là comme les siens punissent qui l'offense ;
C'est lui qui par nos mains vous envoie à tous deux
Le juste châtiment de vos lubriques feux.

ISABELLE

Réponds-moi, cher époux, au moins une parole !
1710 C'en est fait, il expire, et son âme s'envole !
Bourreaux, vous ne l'avez massacré qu'à demi !
Il vit encore en moi, soûlez son ennemi [2] !
Achevez, assassins, de m'arracher la vie :
Sa haine sans ma mort n'est pas bien assouvie.

ÉRASTE

1715 Madame, c'est donc vous !

ISABELLE

                  Oui, qui cours au trépas.

ÉRASTE

Votre heureuse rencontre épargne bien nos pas.
Après avoir défait le Prince Florilame
D'un ami déloyal et d'une ingrate femme,
Nous avions ordre exprès de vous aller chercher.

ISABELLE

1720 Que voulez-vous de moi, traîtres ?

---

1. *Me dévale* : me précipite. \ 2. *Soûlez son ennemi* : rassasiez son ennemi.

ÉRASTE

Il faut marcher.
Le Prince, dès longtemps amoureux de vos charmes,
Dans un de ses châteaux veut essuyer vos larmes.

ISABELLE

Sacrifiez plutôt ma vie à son courroux.

ÉRASTE

C'est perdre temps, Madame, il veut parler à vous.

Scène 6

ALCANDRE, PRIDAMANT

ALCANDRE

TEXTE
11

1725 Ainsi de notre espoir la fortune se joue ;
Tout s'élève ou s'abaisse au branle de sa roue [1],
Et son ordre inégal qui régit l'univers
Au milieu du bonheur a ses plus grands revers.

PRIDAMANT

Cette réflexion malpropre [2] pour un père
1730 Consolerait peut-être une douleur légère.
Mais, après avoir vu mon fils assassiné,
Mes plaisirs foudroyés, mon espoir ruiné,
J'aurais d'un si grand coup l'âme bien peu blessée,
Si de pareils discours m'entraient dans la pensée.
1735 Hélas ! dans sa misère il ne pouvait périr,
Et son bonheur fatal lui seul l'a fait mourir !
N'attendez pas de moi des plaintes davantage :
La douleur qui se plaint cherche qu'on la soulage ;
La mienne court après son déplorable sort.
1740 Adieu, je vais mourir, puisque mon fils est mort.

---

1. *Au branle de sa roue* : selon le mouvement de sa roue. \ **2.** *Malpropre* : impropre.

ALCANDRE

D'un juste désespoir l'effort [1] est légitime,
Et de le détourner je croirais faire un crime.
Oui, suivez ce cher fils sans attendre à demain,
Mais épargnez du moins ce coup à votre main :
1745 Laissez faire aux douleurs qui rongent vos entrailles,
Et, pour les redoubler, voyez ses funérailles.

On tire un rideau et on voit tous les comédiens qui partagent leur argent.

PRIDAMANT

Que vois-je ! chez les morts compte-t-on de l'argent ?

ALCANDRE

Voyez si pas un d'eux s'y montre négligent !

PRIDAMANT

Je vois Clindor, Rosine, Ah ! Dieu quelle surprise !
1750 Je vois leur assassin, je vois sa femme et Lyse !
Quel charme en un moment étouffe leurs discords [2]
Pour assembler ainsi les vivants et les morts ?

ALCANDRE

Ainsi, tous les acteurs d'une troupe Comique [3],
Leur Poème [4] récité, partagent leur pratique [5].
1755 L'un tue et l'autre meurt, l'autre vous fait pitié,
Mais la Scène préside à leur inimitié.
Leurs vers font leur combat, leur mort suit leurs paroles,
Et sans prendre intérêt en pas un de leurs rôles [6],
Le traître et le trahi, le mort et le vivant
1760 Se trouvent à la fin amis comme devant [7].
Votre fils et son train [8] ont bien su par leur fuite
D'un père et d'un Prévôt éviter la poursuite ;
Mais tombant dans les mains de la nécessité,
Ils ont pris le Théâtre [9] en cette extrémité.

---

1. *Effort* : violence. \ 2. *Discords* : discordes. \ 3. *Une troupe Comique* : une troupe de comédiens. \ 4. *Poème* : poème dramatique, c'est-à-dire texte de théâtre. \ 5. *Partagent leur pratique* : le bénéfice de l'art qu'ils ont pratiqué. \ 6. *Sans prendre intérêt en pas un de leurs rôles* : sans impliquer leur identité dans aucun de leurs masques, de leurs rôles. \ 7. *Devant* : avant. \ 8. *Son train* : la troupe qui l'accompagne. \ 9. *Ils ont pris le Théâtre* : ils sont devenus comédiens.

PRIDAMANT

1765 Mon fils Comédien !

ALCANDRE

          D'un art si difficile
Tous les quatre au besoin[1] en ont fait leur asile,
Et depuis sa prison ce que vous avez vu,
Son adultère amour, son trépas impourvu[2],
N'est que la triste fin d'une pièce tragique
1770 Qu'il expose aujourd'hui sur la Scène publique,
Par où ses compagnons et lui dans leur métier,
Ravissent dans Paris un peuple tout entier.
Le gain leur en demeure, et ce grand équipage
Dont je vous ai fait voir le superbe étalage
1775 Est bien à votre fils, mais non pour s'en parer
Qu'alors que[3] sur la scène il se fait admirer.

PRIDAMANT

J'ai pris sa mort pour vraie, et ce n'était que feinte,
Mais je trouve partout mêmes sujets de plainte :
Est-ce là cette gloire et ce haut rang d'honneur
1780 Où le devait monter l'excès de son bonheur ?

ALCANDRE

Cessez de vous en plaindre : à présent le Théâtre
Est en un point si haut qu'un chacun l'idolâtre,
Et ce que votre temps voyait avec mépris
Est aujourd'hui l'amour de tous les bons esprits,
1785 L'entretien de Paris, le souhait des Provinces,
Le divertissement le plus doux de nos Princes,
Les délices du peuple, et le plaisir des grands ;
Parmi leurs passe-temps il tient les premiers rangs,
Et ceux dont nous voyons la sagesse profonde
1790 Par ses illustres soins conserver tout le monde
Trouvent dans les douceurs d'un spectacle si beau
De quoi se délasser d'un si pesant fardeau.

---

1. *Au besoin* : dans le besoin. \ **2.** *Impourvu* : imprévu. \ **3.** *Qu'alors que* : si ce n'est lorsque.

Même notre grand Roi, ce foudre de la guerre
Dont le nom se fait craindre aux deux bouts de la Terre,
1795 Le front ceint de lauriers daigne bien quelquefois
Prêter l'œil et l'oreille au Théâtre François.
C'est là que le Parnasse [1] étale ses merveilles,
Les plus rares esprits lui consacrent leurs veilles,
Et tous ceux qu'Apollon voit d'un meilleur regard [2]
1800 De leurs doctes travaux lui donnent quelque part.
S'il faut par la richesse estimer les personnes,
Le Théâtre est un fief dont les rentes sont bonnes,
Et votre fils rencontre en un métier si doux
Plus de biens et d'honneur qu'il n'eût trouvé chez vous.
1805 Défaites-vous enfin de cette erreur commune
Et ne vous plaignez plus de sa bonne fortune.

PRIDAMANT

Je n'ose plus m'en plaindre, on voit trop de combien
Le métier qu'il a pris est meilleur que le mien.
Il est vrai que d'abord mon âme s'est émue,
1810 J'ai cru la Comédie au point où je l'ai vue,
J'en ignorais l'éclat, l'utilité, l'appas,
Et la blâmais ainsi ne la connaissant pas,
Mais depuis vos discours mon cœur plein d'allégresse
À banni cette erreur avecque la tristesse,
1815 Clindor a trop bien fait.

ALCANDRE

          N'en croyez que vos yeux.

PRIDAMANT

Demain, pour ce sujet, j'abandonne ces lieux,
Je vole vers Paris. Cependant, grand Alcandre,
Quelles grâces ici ne vous dois-je point rendre !

---

1. *Le Parnasse* : mont de la Grèce consacré à Apollon et aux Muses ; désigne la poésie.
\ 2. *D'un meilleur regard* : du meilleur regard.

ALCANDRE

Servir les gens d'honneur est mon plus grand désir,
1820 J'ai pris ma récompense en vous faisant plaisir.
Adieu, je suis content puisque je vous vois l'être.

PRIDAMANT

Un si rare bienfait ne se peut reconnaître ;
Mais, grand Mage, du moins croyez qu'à l'avenir
Mon âme en gardera l'éternel souvenir.

Examen (1660)

Je dirai peu de chose de cette pièce : c'est une galanterie[1] extravagante qui a tant d'irrégularités qu'elle ne vaut pas la peine de la considérer, bien que la nouveauté de ce caprice[2] en ait rendu le succès assez favorable pour ne me repentir pas d'y avoir perdu quelque temps. Le premier acte ne semble qu'un prologue ; les trois suivants forment une pièce que je ne sais comment nommer : le succès[3] en est tragique ; Adraste y est tué, et Clindor en péril de mort ; mais le style et les personnages sont entièrement de la comédie. Il y en a même un qui n'a d'être que dans l'imagination, inventé exprès pour faire rire, et dont il ne se trouve point d'original parmi les hommes. C'est un capitan qui soutient assez son caractère de fanfaron pour me permettre de croire qu'on en trouvera peu, dans quelque langue que ce soit, qui s'en acquittent mieux. L'action n'y est pas complète, puisqu'on ne sait, à la fin du quatrième acte, qui la termine, ce que deviennent les principaux acteurs, et qu'ils se dérobent plutôt au péril qu'ils n'en triomphent. Le lieu y est assez régulier[4], mais l'unité de jour[5] n'y est pas observée. Le cinquième est une tragédie assez courte pour n'avoir pas la juste grandeur que demande Aristote[6] et que j'ai tâché

---

1. *Galanterie* : œuvre littéraire spirituelle et raffinée. \ **2.** *Caprice* : œuvre de fantaisie et d'imagination. \ **3.** *Le succès* : le dénouement. \ **4.** *Le lieu y est assez régulier* : l'unité de lieu est assez respectée. \ **5.** *L'unité de jour* : l'unité de temps. \ **6.** *Aristote* : philosophe grec (384-322 av. J.-C.), auteur de la *Poétique*, traité qui établit les règles de composition et d'écriture des œuvres dramatiques, principalement de la tragédie, et qui fait autorité au XVIIᵉ siècle.

20 d'expliquer. Clindor et Isabelle, étant devenus comédiens sans qu'on le sache, y représentent une histoire qui a du rapport avec la leur, et semble en être la suite. Quelques-uns ont attribué cette conformité à un manque d'invention, mais c'est un trait d'art pour mieux abuser par une fausse mort le père de Clindor qui les
25 regarde, et rendre son retour de la douleur à la joie plus surprenant et plus agréable.

Tout cela cousu ensemble fait une comédie dont l'action n'a pour durée que celle de sa représentation, mais sur quoi il ne serait pas sûr de prendre exemple. Les caprices de cette nature ne se hasardent
30 qu'une fois ; et, quand l'original aurait passé pour merveilleux, la copie n'en peut jamais rien valoir. Le style semble assez proportionné aux matières, si ce n'est que Lyse, en la sixième scène du troisième acte, semble s'élever un peu trop au-dessus du caractère de servante. Ces deux vers d'Horace[1] lui serviront d'excuse, aussi bien
35 qu'au père du Menteur quand il se met en colère contre son fils au cinquième[2] :

> Interdum tamen et vocem comœdia tollit,
> Iratusque Chremes tumido delitigat ore[3].

Je ne m'étendrai pas davantage sur ce poème. Tout irrégulier
40 qu'il est, il faut qu'il ait quelque mérite, puisqu'il a surmonté l'injure des temps, et qu'il paraît encore sur nos théâtres, bien qu'il y ait plus de vingt et cinq années[4] qu'il est au monde, et qu'une si longue révolution en ait enseveli beaucoup sous la poussière, qui semblaient avoir plus de droit que lui à prétendre à une si heureuse
45 durée.

---

1. *Horace* : poète latin (65-8 av. J.-C.). \ **2.** *Au père du Menteur {…} son fils au cinquième* : *Le Menteur* est une comédie de Corneille postérieure à *L'Illusion comique* ; on y entend un père faire des reproches à son fils sur un mode trop élevé pour un personnage de comédie. \ **3.** *Interdum tamen et vocem comœdia tollit,/Iratusque Chremes tumido delitigat ore* : « Quelquefois, pourtant, la comédie hausse la voix, et Chrémès en colère enfle la bouche pour gronder » (*Art poétique*, v. 93-94). \ **4.** Dans les éditions postérieures à 1668, Corneille a corrigé : *trente années*.

DOSSIER

LIRE L'ŒUVRE

QUESTIONNAIRE DE LECTURE

LE TITRE

1. Dans la langue du XVIIᵉ siècle, le terme « illusion » désigne une « apparence [...] dont on trompe un homme » (*Dictionnaire de l'Académie*, 1694), une apparence trompeuse ou même une hallucination. Pourquoi, selon vous, Corneille a-t-il choisi d'intituler sa pièce *L'Illusion comique* ?

■ Pour répondre

Vous pourrez vous appuyer en particulier sur votre lecture de l'acte I ainsi que sur celle de la dernière scène de la pièce pour éclairer et comprendre le choix de l'auteur.

2. De nombreux personnages usent de la feinte pour parvenir à leurs fins. Quel est le seul personnage qui, finalement, n'a jamais recours au mensonge ? Une comparaison entre les scènes II, 5 et III, 5 pourra contribuer à l'identification de ce personnage.

LES PERSONNAGES

3. a. Le personnage de Matamore n'intervient qu'à une certaine étape de l'action : laquelle ? pourquoi selon vous ?
b. Par quel trait est-il alors caractérisé ? Quelle est sa fonction si on le compare à Clindor d'une part, à Lyse d'autre part ?

4. Quel personnage nouveau apparaît au cinquième acte ? Quelle est son utilité dramatique ?

5. a. Comment Corneille représente-t-il, dans *L'Illusion comique*, les relations familiales et en particulier le lien filial ? Identifiez les personnages qui sont impliqués dans ce lien et comparez leurs situations.
b. Quelles conclusions pouvez-vous en tirer sur les intentions du dramaturge ? Vers qui choisit-il d'orienter la sympathie du spectateur ?

■ Pour répondre

Vous pourrez notamment comparer le premier acte et le troisième en cherchant à définir la nature des obstacles que rencontrent les héros.

6. a. Quels sont les personnages concernés par le sentiment amoureux dans *L'Illusion comique* ? Caractérisez la situation sentimentale de départ et décrivez les étapes qui conduisent à la formation ou à la dissolution des couples.
b. Quelle peinture de l'amour se dégage finalement ? Pour répondre à cette question, relisez l'acte II et le début de l'acte V.

7. En retraçant l'évolution du fils de Pridamant, vous vous demanderez en quoi le personnage de Clindor est conduit à faire un apprentissage de la vie, et vous soulignerez sa parenté avec les héros picaresques. Relisez notamment le monologue du héros en prison (IV, 7).

L'INTRIGUE

8. a. Quel personnage déclenche l'action de la pièce ? dans quel but ?
b. Au terme des cinq actes de *L'Illusion comique*, dans quels sens peut-on dire que Pridamant a retrouvé son fils ? Comment le dénouement de l'action et la satisfaction de Pridamant se superposent-ils ?
c. Vous vous interrogerez notamment sur l'évolution des sentiments du père de Clindor tout au long de la pièce.

9. Alcandre ne présente pas les aventures de Clindor dans leur intégralité. À quel moment précis interrompt-il l'illusion dans l'action ? pourquoi ?

10. a. À plusieurs reprises, les personnages sont menacés dans leur vie, en particulier Clindor, mis en danger par la jalousie de ses rivaux. Quel personnage empêche que la comédie ne tourne à la tragédie à l'acte IV ? Quel retournement se produit, avec le même résultat, à l'acte V ?
b. Vous identifierez les moments précis où se produisent ces péripéties ou ces coups de théâtre ainsi que leurs effets sur le lecteur ou le spectateur de la pièce.

11. a. Pourquoi le geôlier joue-t-il un rôle paradoxal dans la progression dramatique de l'acte IV ?
b. Vous chercherez en particulier à élucider les jeux de mots dont se sert Corneille aux scènes 8 et 9 de cet acte pour évoquer le destin de Clindor.

12. a. En vous appuyant en particulier sur votre lecture du dénouement, vous préciserez le nombre d'intrigues qui s'entrelacent dans la pièce.
b. Cette multiplicité implique-t-elle une diversité de registres ? Comment cette diversité se manifeste-t-elle ?

13. Quel métier le fils de Pridamant exerce-t-il finalement ? Quelle leçon Alcandre tire-t-il de la situation ? Comment Corneille implique-t-il le spectateur dans cette conclusion ?

▥ Pour répondre

Relisez le dialogue entre Alcandre et Pridamant, dans lequel la confusion entre vie et représentation théâtrale est levée par le magicien.

L'ÉCRITURE DRAMATIQUE

14. a. La comédie de Corneille s'organise sur deux puis trois niveaux de représentation : quel personnage est l'initiateur du principal dédoublement dramatique ? À quel moment de la pièce cette construction est-elle mise en place ?
b. Vous vous demanderez également comment l'on peut décrire ce dispositif et à qui s'adresse chaque niveau du spectacle.
c. Comment, en tant que lecteur, pouvez-vous vous situer vous-même dans ce jeu qui structure le texte ?

15. Corneille lui-même soulignait dans l'*Examen* de 1660 l'« irrégularité » de sa pièce : en identifiant les différents lieux de l'action et les diverses temporalités mises en jeu par la pièce, vous chercherez à caractériser cette irrégularité de *L'Illusion comique*.

L'ŒUVRE DANS L'HISTOIRE

CONTEXTE CULTUREL

LE BAROQUE

Aperçu général

Contemporain de Descartes, Corneille vit dans un temps dominé par la lecture des *Essais* de Montaigne, leur sens de la relativité, du mouvement et de la fantaisie, un temps que l'on a nommé baroque et qui s'étend sur les deux derniers tiers du XVIᵉ siècle et le premier tiers du XVIIᵉ siècle. Le terme « baroque » est emprunté au vocabulaire de la joaillerie : il désigne une perle de forme irrégulière, à la fois éclatante et impure. Il sert à caractériser une étape de l'histoire culturelle marquée par une profonde crise de conscience. Les grands bouleversements de la Renaissance (désordres politiques internes, crises religieuses, découverte du nouveau monde, découvertes scientifiques) ont en effet conduit les hommes à reconnaître l'infinité de l'univers et à admettre qu'ils n'occupaient pas le centre de la création. L'harmonie cosmique antique et l'ordre médiéval sont bouleversés. Une sensibilité nouvelle se développe, qui exprime à la fois le désarroi devant des changements si radicaux et leur acceptation joyeuse. L'époque est fascinée par l'instabilité, l'ambiguïté, l'inconstance et le déguisement. Cette thématique est abondamment exploitée par *L'Illusion comique* dont la dédicace à « Mademoiselle M.F.D.R. » souligne la nature « bizarre et extravagante ». La pièce est en effet considérée comme le chef-d'œuvre de la littérature baroque dramatique. Dans cette perspective, elle se signale par quelques traits caractéristiques :

– *le goût pour les personnages pratiquant la duplicité* : Clindor ne parle pas le même langage à Isabelle, qu'il courtise dans les règles de la galanterie, et à Lyse, qu'il aborde avec plus de cynisme. Matamore parle le langage des braves mais il se comporte en lâche ;

– *l'invention foisonnante* des épisodes de l'action : le rythme est soutenu ; les scènes de farce qui réunissent Clindor et Matamore alternent par exemple avec les scènes d'affrontement entre Isabelle et son père ;

– *l'enchaînement surprenant des péripéties et des coups de théâtre* : l'action progresse de façon irrégulière, les obstacles se présentent puis

disparaissent de façon saisissante : Clindor est en prison mais, au moment où il croit être conduit au supplice, il s'évade grâce au stratagème de Lyse. Alcandre efface les frontières entre l'apparence et la réalité et sa mise en scène d'une représentation dramatique permet de continuels changements de perspective qui désorientent et ravissent à la fois le spectateur ;
– *le contraste entre les différents registres* : Corneille a construit sa pièce de telle sorte que le spectateur ressente des sentiments variés et contrastés ; le rire succède à l'inquiétude, la tension se relâche soudain en soulagement : c'est le schéma exploité notamment dans l'acte V ;
– *l'usage généreux d'une rhétorique* qui exploite toutes les possibilités décoratives du langage et, en particulier, de la métaphore. Le discours de Matamore n'est pas le seul dans la pièce à user des énumérations, accumulations, hyperboles et redondances qui fournissent le volume nécessaire à la parole baroque. C'est par le foisonnement des images que cette parole cherche à provoquer l'étonnement et l'admiration. C'est par un travail de versification souvent audacieux que Corneille recherche les alexandrins énergiques et les rimes sonores.

Un procédé baroque : le théâtre dans le théâtre

Mais c'est surtout l'architecture en trompe-l'œil de sa structure enchâssée qui signe l'appartenance de la pièce au courant baroque. Le procédé du théâtre dans le théâtre, sur lequel repose la construction de *L'Illusion comique*, est caractéristique de la production dramatique du temps. On désigne aussi ce procédé au moyen de l'expression « mise en abyme » : à l'intérieur d'une pièce jouée sur scène (Pridamant recherche son fils et consulte le magicien Alcandre), on introduit la représentation d'une seconde pièce (l'histoire de Clindor). Shakespeare, dans *Le Songe d'une nuit d'été*, en 1595, avait donné ses lettres de noblesse à ce procédé qui souligne et glorifie le pouvoir d'illusion du théâtre. Dans la scène finale de *L'Illusion comique*, Pridamant, convaincu et trompé par le jeu de Clindor et de ses collègues, a beaucoup de mal à admettre que son fils n'est pas mort mais jouait bel et bien la comédie. Déjà utilisé en France par Gougenot et Georges de Scudéry, en 1631 et 1632, dans deux œuvres intitulées *La Comédie des comédiens*, le procédé retrouve une originalité dans l'usage qu'en fait Corneille. L'auteur tisse en effet des liens étroits, à la fois thématiques et dramatiques, entre le premier et le second niveau de l'action. Il les rend dépendants l'un de l'autre et permet ainsi à l'ensemble des séquences dramatiques de former un tout cohérent.

Tous les jeux sur les rapports entre l'illusion et la réalité sont désormais permis.

Thèmes baroques : vanité des apparences, permanence du changement

L'Illusion comique témoigne ainsi d'une interrogation, spécifiquement baroque, sur la valeur des apparences. La pièce traite de l'effacement des frontières entre la réalité et l'illusion et propose une variation sur le thème du *Theatrum mundi*, le théâtre du monde. Cette formule latine signifie que le monde est un théâtre : il est le lieu d'une comédie et n'a pas plus de consistance qu'une illusion théâtrale. Les hommes ne font que jouer une pièce sous les yeux de Dieu, dramaturge et metteur en scène. Réalité et vérité sont ailleurs. La pensée baroque cherche à faire ressentir la vanité et le néant du monde, dont l'homme pourra ignorer les plaisirs faux, vides et éphémères, pour se convertir à la contemplation et à la méditation sur la vie éternelle, constante et ferme. Le procédé du théâtre dans le théâtre permet à la fois d'exalter les pouvoirs du théâtre et de mettre en garde contre l'illusion. Le modèle est certainement la pièce de Calderón, *La vie est un songe* (1635) (voir texte 1, p. 119), autre chef-d'œuvre de l'art baroque. *L'Illusion comique* présente de nombreuses affinités thématiques et analogies structurelles avec cette dernière pièce qui joue également des ambiguïtés entre l'être et le paraître. Dans la pièce de Corneille, il s'agit aussi de fournir une représentation à la fois ludique et vertigineuse des profondeurs inattendues du réel.

Le thème de l'inconstance, propre à la psychologie baroque, sous-tend le goût du « change » affiché par le mouvant Clindor. Ce personnage s'apparente aussi à la tradition picaresque présente dans les romans espagnols alors à la mode. Rouen était un grand centre de la culture hispanique et Corneille avait pu lire au moins les traductions de ces romans, nombreuses dans les années 1620 : le *Lazarillo de Tormes* (publié en 1554) ou le *Don Guzman d'Alfarache* (1599) par exemple. Ces romans mettent en scène un *picaro*, c'est-à-dire un gueux, individu misérable, marginal et vagabond, qui traverse la société de son temps avec un regard critique et tente d'améliorer son sort par son adresse et ses capacités d'adaptation. Le récit de la vie de Clindor par Alcandre (I, 3) le présente bien comme un héros picaresque, cherchant à saisir les occasions que lui présente le sort, prêt à tous les déguisements pour sortir de sa pauvreté. La pièce présente également des personnages qui dissimulent toujours une part d'eux-mêmes aux autres : la feinte, grand thème baroque, est généralisée dans la conduite de l'action. Alcandre, tirant la leçon de la représentation, confirme la parenté de la pièce avec une vision du monde marquée par la perpétuelle mutation :

> Ainsi de notre espoir la fortune se joue :
> Tout s'élève ou s'abaisse au branle de sa roue ;
> Et son ordre inégal, qui régit l'univers,
> Au milieu du bonheur a ses plus grands revers (v. 1725-1728).

Par sa structure et ses thèmes dominants, *L'Illusion comique* s'inscrit pleinement dans la mouvance baroque. Toutefois, afin de saisir le sens des modifications que Corneille lui fait subir dans la version de 1660, il est nécessaire de mentionner que parallèlement au baroque, une autre esthétique, l'esthétique classique, se met progressivement en place au cours du XVIIe siècle.

L'ILLUSION COMIQUE ET LE CLASSICISME

Pourquoi parler du classicisme ?

Évoquer le classicisme à propos de *L'Illusion comique* peut sembler paradoxal. En 1635-1636, lorsque Corneille fait jouer la première version de la pièce, il n'est pas possible d'identifier la moindre influence classique dans son écriture. Et cela pour une raison très simple : les principaux textes codifiant l'esthétique classique sont très largement postérieurs à la pièce. Pour nous en tenir à deux exemples célèbres, rappelons que la première édition de la *Pratique du théâtre* de l'abbé d'Aubignac est publiée en 1657, et que *L'Art poétique* de Boileau date de 1672. La définition de cette esthétique classique intervient donc plusieurs décennies après l'écriture de la pièce.

Mais de la première à la seconde version de la pièce éditée (de 1639 à 1660 donc), le texte de *L'Illusion comique* subit d'importantes modifications. La version du texte proposée ici est fidèle à l'édition de 1639. Mais la version de 1660 a son importance : dans plusieurs passages de l'*Examen* de sa pièce qu'il publie en 1660, au moment où il s'occupe de la publication de l'intégralité de son œuvre théâtrale, Corneille s'adresse des critiques ou des reproches qui signalent de sa part une volonté de juger le texte publié en 1639 à la lumière d'un goût classique maintenant affirmé, et dont il importe de cerner quelques caractéristiques.

Ordre et raison

Sans prétendre épuiser la complexité d'une notion aussi riche que le classicisme, il est possible d'en préciser quelques principes fondateurs, qui expliquent la teneur des jugements développés par Corneille dans son *Examen* de 1660.

À la base du classicisme, il y a un désir d'ordre, de stabilité. L'esprit classique se caractérise par un souci de dominer, de classer le monde, que ce soit dans le domaine politique (Colbert, le ministre de Louis XIV, s'emploie à rationaliser le fonctionnement de l'administration royale) ou dans le domaine esthétique. Le peintre Nicolas Poussin écrit ainsi, dès 1642 :

> Mon naturel me contraint de chercher et aimer les choses bien ordonnées, fuyant la confusion qui m'est aussi contraire et ennemie comme la lumière des obscures ténèbres[1].

Le même souci anime Corneille lorsqu'il écrit, en 1660, dès les premiers mots de l'*Examen* :

> Je dirai peu de choses de cette pièce : c'est une galanterie extravagante qui a tant d'irrégularités qu'elle ne vaut pas la peine de la considérer.

Le vocabulaire cornélien est significatif : en 1660, l'auteur considère qu'une pièce comme *L'Illusion comique* n'est plus digne d'attention dans un contexte où la référence à la raison est devenue primordiale. Ce souci d'ordre et de raison conduit en effet les auteurs classiques en général, et Corneille en particulier, à invoquer l'autorité d'Aristote, dont les principes sont évoqués toutes les fois qu'il s'agit de réfléchir aux lois présidant à la composition d'une œuvre dramatique.

Vraisemblance et bienséances

À la fin du chapitre VIII de sa *Poétique* (environ 335 avant J.-C.), Aristote (384-322 avant J.-C.) insiste sur la nécessaire cohérence de l'œuvre d'art :

> Les parties constituées des actes accomplis doivent être agencées de façon que, si l'on déplace ou supprime l'une d'elles, le tout soit troublé et bouleversé[2].

Chaque partie du poème dramatique possède donc une fonction qui rend sa présence nécessaire dans un ensemble formant une unité, un tout cohérent. Les différentes parties de l'ouvrage sont agencées par le poète dans un but précis. Il ne s'agit nullement de reproduire (d'imiter, dit Aristote) la réalité de façon exhaustive. Tout au contraire, l'assemblage des différentes parties d'un ouvrage intervient au terme d'une sélection rigoureuse :

---

1. *Encyclopaedia Universalis*, article « classicisme ». \ 2. Aristote, *Poétique*, 1451 *b*, 30-35 (chap. VIII), trad. de Michel Magnien, Le Livre de poche, coll. « Classiques de poche », 1990, p. 98.

> Le rôle du poète est de dire non pas ce qui a réellement eu lieu mais ce à quoi on peut s'attendre, ce qui peut se produire conformément à la vrai-semblance ou à la nécessité[1].

Ces passages d'Aristote fondent la distinction classique du vrai et du vrai-semblable. Comme le dit Boileau, « le vrai peut quelquefois n'être pas vrai-semblable[2] ». Autrement dit, il ne suffit pas qu'un fait soit vrai pour qu'il soit digne d'être raconté et mis sur scène (voir aussi texte 2, p. 121-123).

Le principe classique de l'unité d'action découle des exigences d'Aristote. Le poème dramatique doit exposer, dans un ensemble cohérent, une action dont chaque partie doit être digne de la représentation, parce qu'elle s'in-sère harmonieusement dans l'ensemble d'une part, parce qu'elle corres-pond à l'idée que le public est censé se faire d'une œuvre d'art d'autre part. La Bruyère résume ce souci dans un célèbre passage des *Caractères* (1688), dans la 52e remarque du chapitre intitulé « Des ouvrages de l'esprit »[3] :

> Ce n'est point assez que les mœurs du théâtre ne soient point mauvaises, il faut encore qu'elles soient décentes et instructives. Il peut y avoir un ridicule si bas et si grossier, ou même si fade et si indifférent, qu'il n'est ni permis au poète d'y faire attention, ni possible aux spectateurs de s'en divertir. Le paysan ou l'ivrogne fournit quelques scènes à un farceur ; il n'entre qu'à peine dans le vrai comique [...] « Ces caractères, dit-on, sont naturels. » Ainsi, par cette règle, on occupera bientôt tout l'amphithéâtre d'un laquais qui siffle, d'un malade dans sa garde-robe, d'un homme ivre qui dort ou qui vomit : y a-t-il rien de plus naturel ?

Du texte de 1639 à celui de 1660 : l'influence du classicisme

Cohérence et unité, vraisemblance et bienséances : ces éléments permet-tent donc de définir les contours d'une doctrine classique qui trouve sa formulation définitive dans des textes postérieurs à la première version de *L'Illusion comique*. Mais la connaissance de la doctrine classique permet de comprendre les jugements portés par Corneille sur sa pièce en 1660, ainsi que la logique des modifications apportées au texte publié en 1639. Corneille souligne en effet le manque d'unité de son œuvre, dont « le premier acte ne semble qu'un prologue ; [et] les trois suivants forment une pièce que je ne sais comment nommer [...] » (*Examen*, p. 99). Il blâme aussi son caractère incomplet, comme inachevé : « L'action n'y est pas complète,

---

1. Aristote, *Poétique, op. cit.* \ **2.** Boileau, *L'Art poétique*, chant III, vers 48. \ **3.** La Bruyère, *Les Caractères*, «Des ouvrages de l'esprit », 52, Éditions Garnier Frères, 1962, p. 86.

puisqu'on ne sait, à la fin du quatrième acte qui la termine, ce que deviennent les principaux acteurs [...]. » *L'Illusion comique* est un simple « caprice » sans suite, où les personnages n'imitent pas la réalité selon les critères du vraisemblable. Dans son *Examen*, Corneille avoue en effet que le personnage de Matamore n'a d'existence « que dans l'imagination », qu'il a été « inventé exprès pour faire rire ». Et Lyse, « en la sixième scène du troisième acte, semble s'élever un peu trop au-dessus du caractère des servantes », dans la mesure où elle développe des propos et des raisonnements qu'il n'est ni vraisemblable, ni bienséant – aux yeux d'un classique – d'entendre dans la bouche d'un personnage de basse condition.

Les aménagements subis par la pièce dans la version de 1660 sont inspirés par une volonté de la faire correspondre au goût nouveau orienté vers l'esthétique classique. Cette nouvelle version du texte présente d'importants changements. Le dramaturge modifie ou supprime près de quatre cents vers, et rebaptise sa pièce *L'Illusion*, ce qui confère plus de généralité et de distinction à l'œuvre. Le rôle de Rosine disparaît : en apparaissant à la fin de l'action, le personnage dérogeait aux règles, et une figure aussi peu morale heurte dorénavant les bienséances. Le cynisme de Clindor et les audaces de Lyse sont tempérés, les vantardises de Matamore sont atténuées. À l'acte V, lors des scènes de tragédie, le dramaturge précise dans des didascalies que Clindor « représente » Théagène, qu'Isabelle « représente » Hippolyte et que Lyse « représente » Clarine : il dévoile ainsi le troisième niveau de théâtralité, explicite l'analogie avec l'histoire de Clindor et d'Isabelle, et atténue enfin la surprise provoquée chez le spectateur. Dans la version de 1660, il s'agit donc pour Corneille de trouver un compromis entre l'audace baroque de 1639 et l'évolution du goût du public vers l'unité classique et la tragédie. Il faut attendre les romantiques pour assister à une réhabilitation de l'état initial de la pièce. Ces derniers, qui prônent le mélange des tons, voient dans le parti pris cornélien d'associer les registres opposés une marque de modernité évidente.

L'Illusion comique doit donc être lue à la lumière de l'esthétique classique qui se met en place durant les décennies qui succèdent à sa première parution. Confronter cette pièce à la tradition classique permet de mieux comprendre le texte de 1639, et de cerner plus précisément la nature et la portée d'audaces, de choix et de partis pris encore parfaitement tenables durant la première moitié du XVIIe siècle, mais qui font figure d'exceptions incongrues en 1660.

LE THÉÂTRE EN 1635 : CONDITIONS, ÉVOLUTION

LES CONDITIONS DE LA REPRÉSENTATION

Dans les premières décennies du XVIIᵉ siècle, une vie théâtrale intense se développe. Les représentations ont lieu deux à trois fois la semaine et sont annoncées au son du tambour ou par affiches. Les droits d'entrée modestes favorisent une fréquentation populaire. Le public est mêlé, mais chaque groupe social occupe une partie spécifique de la salle. Le peuple est debout au parterre, la bourgeoisie assise dans les loges, l'aristocratie prend place directement sur la scène, où les nobles sont assis aux côtés des comédiens. Les artistes cherchent de plus en plus à produire une impression forte sur ce public très spontané, qui manifeste bruyamment ses réactions à la représentation. Les effets très appuyés des tirades d'un personnage comme Matamore sont conçus à l'attention de ce public-là.

Après les difficultés rencontrées par les artistes au cours d'un XVIᵉ siècle troublé notamment par les conflits de religion et les désordres politiques, le premier tiers du XVIIᵉ siècle voit s'amorcer un renouveau très net dans la production dramatique. Certes, les salles demeurent inconfortables, et la scène est dépourvue de rideau. Mais le renouveau du théâtre permet le recours à des moyens scéniques nouveaux. Le décor est constitué de toiles peintes divisées en plusieurs compartiments qui évoquent les différents lieux de l'action. Vers 1645, les machines de théâtre apparaissent et remportent un grand succès : elles permettent des changements de décor spectaculaires qui visent à éblouir le spectateur. Les acteurs, profitant de la générosité des mécènes, sont désormais vêtus de costumes éclatants. Les lieux des représentations théâtrales ne sont plus improvisés : on consacre de véritables salles de spectacle à la représentation théâtrale, on les équipe de machines qui autorisent des changements de décor spectaculaires, des lumières artificielles, des effets grandioses. Les mises en scène sont volontiers flamboyantes et animées. Tous ces éléments contribuent à renouveler le prestige du genre théâtral.

En choisissant par exemple de situer l'action de *L'Illusion comique* dans une grotte, un décor étrange et propice aux fantasmagories, Corneille pensait certainement avoir recours à ces moyens scéniques nouveaux.

LES GENRES DOMINANTS

La production du début du XVIIe siècle comporte de nombreuses farces mais peu de comédies jusqu'aux environs de 1630. Les *farces* sont représentées sur les tréteaux de foire ou dans les compagnies officielles : elles servent alors de prologue aux tragi-comédies. Trois comédiens farceurs sont ainsi particulièrement célèbres : connus sous les pseudonymes de Gros-Guillaume, Gaultier-Garguille et Turlupin, ils jouent les ivrognes, les vieillards, les bouffons ou les valets fourbes en usant de mimiques et de plaisanteries grossières. Notons qu'une pièce comme *L'Illusion comique* ignore presque totalement cette tradition farcesque. Malgré ses outrances et sa couardise, un personnage comme Matamore s'exprime en effet toujours dans un registre qui refuse la familiarité, et les coups dont il est menacé par Clindor (III, 10) ou Isabelle (IV, 4) ne sont pas montrés sur scène. Le texte de Corneille articule de simples menaces, quand une authentique farce montrerait de vrais coups de bâton.

En revanche, *L'Illusion comique* s'inscrit bien dans la lignée de la *pastorale*. Ce genre met en scène la recherche de l'amour par des bergers et des bergères évoluant dans une nature idyllique. La pastorale transpose à la scène les thèmes et les conventions d'une tradition illustrée dès l'Antiquité par les *Bucoliques* (37 avant J.-C.) du poète latin Virgile (70-19 avant J.-C.). Une pièce comme la *Bergerie* d'Antoine Montchrestien, donnée en 1601, fournit le modèle du genre au XVIIe siècle. Mais le genre de la pastorale est également illustré par le dramaturge Alexandre Hardy (1570-1632) – il aurait écrit six cents pièces et en a imprimé une trentaine seulement – qui situe lui aussi ses intrigues amoureuses dans un cadre champêtre idéalisé, aussi propice aux scènes de magie qu'aux épisodes burlesques. Ses œuvres au titre évocateur (*Le Triomphe de l'Amour*, 1618) célèbrent la victoire de l'amour spirituel sur la passion charnelle dans un climat d'utopie. L'un des schémas narratifs les plus couramment utilisés dans la pastorale est celui des amours non partagées (que l'on retrouve d'ailleurs dans *L'Illusion comique*) : un personnage s'éprend d'un autre, qui soupire après un troisième, qui brûle lui-même pour un quatrième, etc. Les couples de la pastorale se font et se défont, avant un dénouement apaisant qui célèbre généralement la force du sentiment amoureux. Dans *L'Illusion comique*, la présence de la magie, les discussions entre amants (Adraste reprochant à Isabelle son indifférence, acte I, scène 3), leurs intrigues incessantes (Lyse promettant à Adraste de lui montrer la trahison d'Isabelle, acte II, scène 7) sont autant d'éléments qui prouvent la dette de Corneille vis-à-vis d'une tradition pastorale encore vivace au XVIIe siècle.

Mais le genre préféré par le public de la génération de Corneille est la *tragi-comédie*, qui présente des intrigues mouvementées et compliquées, mélangeant les registres tragique et comique, dans lesquelles des personnages de haute condition exposent fréquemment leur vie jusqu'à un dénouement heureux. Ces pièces reprennent les personnages et les procédés des romans héroïques à la mode, comme *L'Astrée* (1607-1625) d'Honoré d'Urfé (1567-1625). Elles ne dédaignent pas les formes les plus directes de l'érotisme et de la cruauté : il y est souvent question de meurtres, de viols, de tortures, qui se déroulent sur la scène même. L'un des plus célèbres représentants de ce genre est Alexandre Hardy, déjà évoqué précédemment. Dans sa *Félismène*, une jeune fille déguisée en homme, part à la poursuite de son amant infidèle et le retrouve en Allemagne, où elle devient son page et le séduit à nouveau. Dans *La Force du sang* (1625), pièce inspirée d'une nouvelle de Cervantès, une jeune fille, Léocadie, est violée par un jeune homme de bonne famille. Elle dissimule grossesse et enfant durant sept années... au terme desquelles elle épouse celui qui ne l'a pas oubliée depuis la fameuse nuit et dont elle finit par tomber amoureuse [1] ! *L'Illusion comique* appartient à cette mode de l'inspiration romanesque, la surprise et l'intensité de ses effets dramatiques.

L'Illusion comique s'inscrit donc dans un contexte marqué par le goût pour les sujets sentimentaux et les histoires d'amour contrariées, les actions guerrières, les intrigues à rebondissement. Un tel contexte explique la présence dans la pièce de duos amoureux (II, 5 par exemple), de péripéties inquiétantes (celles qui marquent la fin de l'acte III), d'épisodes sanglants (V, 5 par exemple). Les années 1630-1640, on l'a vu, sont celles de l'élaboration progressive des règles de la doctrine classique. Mais le tour d'horizon que nous venons d'effectuer montre que, vers 1630, les auteurs sont encore largement libres de leurs choix d'écriture, ce dont témoignent tout à la fois, dans *L'Illusion comique*, la construction complexe de l'intrigue, la diversité des registres et la force de l'invention.

---

1. Le site de la BNF (http://gallica.bnf.fr/themes/LitXVIIz4.htm) permet de consulter en ligne quelques tragi-comédies de cette époque.

CONTEXTE BIOGRAPHIQUE

UN AUTEUR RECONNU

Lorsque Pierre Corneille écrit *L'Illusion comique*, il n'a choisi de suivre la voie du théâtre que depuis six ans. Son origine sociale et son éducation le destinaient à une carrière d'avocat, mais sa vocation était ailleurs. Né à Rouen le 6 juin 1606, Corneille appartient à une bourgeoisie de province aisée et reconnue. Brillant élève des jésuites de Rouen, le jeune homme, qui n'était probablement pas destiné à une carrière de dramaturge, fut poussé dans cette voie par le succès parisien de ses premières pièces, dont *Mélite*, confiée à un comédien célèbre, Montdory, qui la joue à Paris avec succès durant la saison 1629-1630.

Auteur rapidement célèbre, Corneille jouit très tôt de la protection des Grands et il bénéficie en particulier du mécénat de Richelieu, ministre d'État de Louis XIII. Politiquement, la période se caractérise par les troubles à la fois extérieurs (la guerre est déclarée à l'Espagne le 12 mai 1635) et intérieurs, la noblesse acceptant mal les volontés centralisatrices du pouvoir.

Le pouvoir de l'État, centralisé autour du roi, cherche à s'affirmer et s'appuie sur une bourgeoisie en pleine ascension. Le roi et son cardinal ministre cherchent à instaurer un pouvoir stable et solide. Cette autorité veut s'étendre jusque sur la vie artistique et intellectuelle, à laquelle elle souhaite conférer unité et grandeur. C'est pourquoi Richelieu prend sous sa protection les écrivains les plus en vue du moment. Dès 1634, Corneille est choisi par le cardinal, passionné de théâtre, avec quatre autres écrivains, pour écrire une œuvre collective, *La Comédie des Tuileries*, jouée en 1635 devant la Cour. En 1635, le cardinal institue l'Académie française, institution qui définit la norme en matière de langue française et de critique littéraire. L'année suivante, en 1636, les *Sentiments de l'Académie sur le Cid* exposent ainsi des analyses reprochant à Corneille d'avoir ignoré les usages d'un classicisme en voie d'élaboration. L'Académie se définit donc comme une institution chargée de rappeler la nécessité d'un certain nombre de règles (respect des unités d'action, de temps et de lieu, de la vraisemblance et des bienséances) dont l'observation s'impose peu à peu au cours de la première moitié du XVIIᵉ siècle.

Lorsqu'il publie *L'Illusion comique*, Corneille n'est pas un auteur « classique ». Mais il participe à la volonté affichée par le pouvoir royal de mettre en valeur la culture française, et d'assurer son rayonnement. La dernière scène de *L'Illusion comique* fait d'ailleurs mention d'un « grand Roi », « foudre de la guerre » qui aime à « prêter l'œil et l'oreille au Théâtre français », allusion assez transparente à la faveur dont l'art dramatique jouit auprès des Grands. Cependant, Corneille reprend bientôt sa liberté, dès 1638, même s'il reste pensionné, c'est-à-dire subventionné, par Richelieu. Entre-temps, en 1637, Louis XIII accorde des lettres de noblesse au père de Corneille pour services rendus au théâtre par son fils. *L'Illusion comique* se situe donc dans cette période où l'ascension sociale de son auteur est définitivement reconnue par le pouvoir. Le héros de la pièce, Clindor, vit lui aussi en quelque sorte cette reconnaissance grâce au théâtre, c'est du moins ce qu'Alcandre cherche à faire comprendre à son père, Pridamant. Celui-ci finit d'ailleurs par admettre, dans les ultimes répliques de la pièce : « Le métier qu'il a pris est meilleur que le mien » (V, 6, v. 1808).

L'ILLUSION COMIQUE : UNE ŒUVRE DE TRANSITION

Dans la production de Corneille, *L'Illusion comique* occupe une place particulière : elle appartient en effet au début de la carrière du dramaturge et précède d'un an son chef-d'œuvre, *Le Cid*. C'est pourquoi cette pièce est souvent envisagée comme une œuvre de transition : elle ne possède pas encore les qualités des pièces de la maturité de Corneille mais étonne par sa singularité. L'écriture du dramaturge y bénéficie encore de la liberté qui régnait durant la période précédant l'avènement d'une esthétique classique de plus en plus contraignante au fil du temps (voir « *L'Illusion comique* et le classicisme », p. 108), comme en témoigne, dès 1636-1637, la querelle du *Cid*. Corneille compose des tragédies à succès, il fait un mariage prospère, et entre à l'Académie en 1647. Volontairement éloigné de l'univers théâtral entre 1651 et 1659, il travaille à l'édition de son théâtre complet et se fait lui-même théoricien dans trois *Discours sur l'art dramatique* et dans les *Examens* de ses pièces. Il porte sur celles-ci un regard critique, et développe des analyses dont le contenu est révélateur de la diffusion du goût et de la mesure classiques. L'ensemble paraît en 1660. Par la suite, devant l'ascension parallèle de Molière et de Racine, son grand rival, l'hégémonie littéraire de Corneille s'affaiblit progressivement. Sa dernière pièce, *Suréna*, en 1674, est un échec et le conduit à une retraite qui dure jusqu'à sa mort, en 1684.

L'Illusion comique appartient donc à une période particulièrement heureuse, pleine de promesses, de la carrière de son auteur. Mais elle incarne aussi, à travers les modifications qu'elle a subies, une étape significative de l'histoire du théâtre et de l'évolution des goûts.

LA RÉCEPTION DE *L'ILLUSION COMIQUE*

Nous ne disposons pas de la date précise de la création de la pièce, mais on retient généralement l'hypothèse selon laquelle *L'Illusion comique* a été représentée pour la première fois durant la saison 1635-1636 au théâtre du Marais, à Paris. Deux troupes permanentes jouent alors dans la capitale. Celle de Bellerose, dirigeant les Comédiens du Roi, se produit à l'Hôtel de Bourgogne. Celle de Charles Le Noir occupe le théâtre du Marais, où sont jouées les pièces de Corneille. Au début des années 1630, le roi Louis XIII impose de nouvelles règles aux troupes parisiennes et redistribue l'effectif des acteurs, amputant sérieusement la troupe du Marais. Le grand acteur Montdory, ami de Corneille, réorganise cette troupe et engage l'acteur Bellemore, spécialisé dans les rôles de fanfaron. Dans ce contexte, *L'Illusion comique* pourrait donc être une commande de Montdory, cherchant à mettre en valeur ses nouvelles recrues. Il s'agissait notamment de donner à Bellemore un rôle à sa mesure : Corneille aurait alors forgé le personnage du capitan Matamore à son intention.

Lors de sa création, la pièce connut sans doute le succès. Corneille lui-même le signale dans la dédicace : « Son succès ne m'a point fait de honte sur le théâtre. » Dans l'*Examen* de 1660, il confirme la bonne réception de son « poème » :

> Tout irrégulier qu'il est, il faut qu'il ait quelque mérite, puisqu'il a surmonté l'injure des temps, et qu'il paraît encore sur nos théâtres, bien qu'il y ait vingt et cinq années qu'il est au monde (l. 39-45).

Néanmoins, à partir de 1660, le goût classique, privilégiant la clarté et la netteté, s'impose et entraîne l'oubli de cette pièce irrégulière et « bizarre ». Elle n'est plus jouée dès la fin du siècle et reste absente du répertoire pendant tout le XVIIIe siècle.

Elle n'est redécouverte qu'en 1861, année où elle est jouée à la Comédie-Française pour le deux cent cinquantième anniversaire de la naissance de Corneille, avec des modifications considérables cependant. Le quatrième acte disparaît et la tragédie qui constitue le cinquième est remplacée par un fragment du premier acte de *Don Sanche d'Aragon* (une autre pièce de Corneille datant de 1649). Les romantiques saluent dans *L'Illusion comique* certains traits précurseurs de leur propre esthétique, qui prône le mélange des registres et l'abolition des trois unités. La réaction enthousiaste de Théophile Gautier après la représentation manifeste cette rencontre autour d'un goût commun pour une vision éclatante et dynamique du théâtre.

La pièce a véritablement été redécouverte au xxe siècle. Le développement des études sur le baroque, sous l'impulsion de Jean Rousset (voir texte 5, p. 124-125), a permis de jeter sur elle un éclairage nouveau. Son véritable retour à la scène a lieu en 1937, à la Comédie-Française, dans une mise en scène de Louis Jouvet. Celui-ci choisit *L'Illusion comique* car elle est, dit-il, « une fantaisie d'imagination qui tient de la vie, de l'irréel, du drame, de la comédie italienne ». La mise en scène, qui met l'accent sur la dimension féerique de la pièce, remporte un grand succès. *L'Illusion comique* connaît au xxe siècle un véritable renouveau. Parmi les mises en scène frappantes, il faut noter celle de Georges Wilson en 1965 au festival d'Avignon, qui choisit de souligner la fantaisie libre, la luxuriance baroque et la modernité dramaturgique de la pièce. En 1970, *L'Illusion comique* est montée pour la télévision par Robert Maurice, qui en propose une lecture sociologique. La consécration scénique a lieu en 1984 au théâtre de l'Odéon, à Paris. Le metteur en scène italien Giorgio Strehler (1921-1997) monte *L'Illusion comique* pour célébrer le trois centième anniversaire de la mort de Corneille : il choisit le texte original de 1639 mais adopte aussi le titre modifié de 1660, *L'Illusion* (voir texte 19, p. 148). Pour lui, « avec ce titre-programme, l'œuvre de Corneille apparaît comme une métaphore de la vie de l'homme, qui emploie le théâtre pour une démonstration poétique et bouleversante de la relativité des liens et des sentiments des protagonistes de la scène du monde où se joue l'aventure humaine ». Pour servir cette vision de la pièce, le metteur en scène adopte un décor en forme de grotte qui inclut la salle et les spectateurs, séduits par des jeux d'ombres et de lumières, de magiques illusions d'optique qui traduisent la mouvance du monde. Ces mises en scène majeures ont permis de réinscrire définitivement *L'Illusion comique* au répertoire des grandes œuvres dramatiques.

GROUPEMENT DE TEXTES : ÉLÉMENTS DE DÉFINITION DU THÉÂTRE BAROQUE

Après avoir lu les textes 1 à 5, vous répondrez aux questions suivantes :

1. Les textes 1 à 5 prennent pour objet le théâtre : sous quel angle (technique, historique, symbolique, théorique…) l'art dramatique est-il analysé ou commenté par chacun des auteurs ?

2. Les textes 1 à 5 étudient le rapport entre le spectateur et le spectacle, entre la réalité et l'illusion : quel rapport le spectateur entretient-il avec le spectacle : distanciation ? fascination ?

3. Parmi les textes 1 à 5, quel est celui qui vous paraît souligner le plus la nécessité où se trouve le théâtre de transmettre des valeurs, de remplir une mission éducative ? Comment cette mission s'exerce-t-elle ?

4. Le théâtre est l'occasion d'une rencontre entre un dramaturge, un metteur en scène, un acteur et un spectateur : quels sont la place et le rôle donnés à chacun dans les textes 1 à 5 ?

Après avoir lu le texte 6, vous répondrez à la question suivante :

5. Comparez les deux versions de la scène 4 de l'acte V. Celle de 1639 se trouve pages 88-92, celle de 1660 est reproduite ci-dessous (p. 126-127). Quelles modifications Corneille a-t-il apportées ? pourquoi ?

TEXTE 1 ● Pedro Calderón de la Barca, *La vie est un songe* (1633), deuxième journée, scène 19

Trad. B. Sésé, Paris, Aubier-Flammarion, 1976.

Dans cette pièce, le prestigieux dramaturge espagnol, Pedro Calderón de la Barca (1600-1681) illustre l'idée typiquement baroque selon laquelle les certitudes ou vérités humaines sont des illusions au regard de Dieu, unique réalité ferme et constante. Un horoscope a prédit au roi de Pologne, Basyle, que son fils Sigismond deviendrait un tyran sanguinaire : il l'a donc enfermé dans une tour. Après quelques années, le roi cherche à vérifier la prédiction et libère Sigismond, sans que celui-ci s'en rende compte, grâce à une potion soporifique. Mais celui-ci commet des méfaits et est à nouveau conduit en prison, toujours sous l'effet d'un narcotique. À son réveil, le personnage se confie à Clothalde, son précepteur et geôlier. Il se demande s'il a vécu ou rêvé, soulignant ainsi la parenté entre la vie et le songe.

CLOTHALDE
Dis-moi ce que tu as rêvé.

SIGISMOND
À supposer que ce fût un rêve,
Je ne dirai pas ce que j'ai rêvé,
Mais plutôt, Clothalde, ce que j'ai vu.
5   Je me suis éveillé, je me suis vu
— Quelle flatteuse cruauté ! —
Dans un lit qui aurait pu,
Par ses nuances et ses couleurs
Être le lit des fleurs
10   Tissé par le printemps.
Là, mille gentilshommes, prosternés
À mes pieds, m'appelèrent

Leur Prince et me présentèrent
Des parures, des bijoux et des vêtements.
15 Et toi tu vins changer en allégresse
Le calme de mes sens
En déclarant quel était mon bonheur ;
Car malgré l'état où je suis maintenant,
J'étais Prince en Pologne.

CLOTHALDE

20 Tu as dû me donner une belle récompense.

SIGISMOND

Pas très bonne : pour ta félonie,
D'un cœur hardi et sans faiblesse,
Deux fois je te donnais la mort. […]

CLOTHALDE

Comme nous avions parlé
25 De cet aigle, quand tu t'es endormi,
Tu as rêvé d'empires ;
Mais même en rêve il eût convenu,
Sigismond, d'honorer alors
Celui qui s'est donné tant de mal
30 Pour t'élever ; même en songe, en effet,
Ce n'est jamais en vain que l'on pratique le bien.
Il sort.

SIGISMOND

Cela est vrai. Eh bien, réprimons alors ce naturel sauvage,
Cette furie, cette ambition,
Au cas où nous aurions un songe de nouveau.
35 C'est décidé, nous agirons ainsi
Puisque nous habitons un monde si étrange
Que la vie n'est rien d'autre que songe ;
Et l'expérience m'apprend
Que l'homme qui vit, songe
40 Ce qu'il est, jusqu'à son réveil.
Le Roi songe qu'il est un roi, et vivant
Dans cette illusion il commande,
Il décrète, il gouverne ;
Et cette majesté, seulement empruntée,
45 S'inscrit dans le vent,

Et la mort en cendres
La change, oh ! cruelle infortune !
Qui peut encor vouloir régner,
Quand il voit qu'il doit s'éveiller
50 Dans le songe de la mort ?
Le riche songe à sa richesse,
Qui ne lui offre que soucis ;
Le pauvre songe qu'il pâtit
De sa misère et de sa pauvreté ;
55 Il songe, celui qui prospère ;
Il songe, celui qui s'affaire et prétend,
Il songe, celui qui outrage et offense ;
Et dans ce monde, en conclusion,
Tous songent ce qu'ils sont,
60 Mais nul ne s'en rend compte.
Moi je songe que je suis ici,
Chargé de ces fers,
Et j'ai songé m'être trouvé
En un autre état plus flatteur.
65 Qu'est-ce que la vie ? Un délire.
Qu'est-ce donc la vie ? Une illusion,
Une ombre, une fiction ;
Le plus grand bien est peu de chose,
Car toute la vie n'est qu'un songe,
70 Et les songes ne sont rien d'autre que des songes.

TEXTE 2 ● Jean Chapelain, « Lettre à Antoine Godeau sur la règle des vingt-quatre heures » (1630)

Homme de lettres très influent au début du xviie siècle, Chapelain participa à l'élaboration de la doctrine classique par ses idées et ses jugements sur les œuvres de ses contemporains. C'est lui qui rédigera notamment les *Sentiments de l'Académie* qui condamneront la tragi-comédie *Le Cid* succédant à *L'Illusion comique* dans la production cornélienne. En réponse au poète Godeau, qui avait critiqué l'établissement des règles, Chapelain écrit une lettre où il expose les principes fondamentaux de l'écriture dramatique classique. Ces principes confèrent à la représentation la « vraisemblance », c'est-à-dire l'énergie capable de « purger » le spectateur de ses passions.

Je pose donc pour fondement que l'imitation en tous poèmes doit être si parfaite qu'il ne paraisse aucune différence entre la chose imitée et celle qui imite, car le principal effet de celle-ci consiste à proposer

à l'esprit, pour le purger de ses passions déréglées, les objets comme
5   vrais et comme présents ; chose qui, régnant par tous les genres de la
poésie, semble particulièrement encore regarder la scénique, en laquelle
on ne cache la personne du poète que pour mieux surprendre l'imagination du spectateur, et pour le mieux conduire sans obstacle à la
créance[1] que l'on veut qu'il prenne en ce qui lui est représenté. À ce
10 dessein seul la judicieuse Antiquité, non contente de paroles qu'elle
mettait dans la bouche de ses histrions[2], et des habits convenables au
rôle que chacun d'eux jouait ; fortifiait l'énergie de la représentation,
la démarche pleine d'art et la prononciation harmonieuse, le tout pour
rendre la feinte pareille à la vérité même et faire la même impression
15 sur l'esprit des assistants par l'expression qu'aurait fait la chose exprimée
sur ceux qui en auraient vu le véritable succès. Et pour ce qu'avec toutes
ces précautions les mêmes anciens se défiaient encore de l'attention du
spectateur et craignaient qu'il ne se portât pas assez de lui-même dans
les sentiments de la scène comme véritables, ils trouvèrent à propos,
20 en beaucoup de leurs représentations, de faire imiter à des baladins,
par des danses muettes et des gesticulations énergiques, les intentions
du théâtre, et les accompagnèrent toutes de modes différents de
musique entre les actes, se rapportant aux différentes passions qui y
étaient introduites, afin d'obliger l'esprit, par toutes voies, à se croire
25 présent à un véritable événement, et à vêtir par force dans le faux les
mouvements que le vrai même lui eût pu donner. Pour cela même sont
les préceptes qu'il nous a donnés concernant les habitudes des âges et
des conditions, l'unité de la fable, sa juste longueur, bref, cette vraisemblance si recommandée et si nécessaire en tout poème, dans la seule
30 intention d'ôter aux regardants toutes les occasions de faire réflexion
sur ce qu'ils voient et de douter de sa réalité. Cela supposé de la sorte,
et considérant le spectateur dans l'assiette[3] où l'on le demande pour
profiter du spectacle, c'est-à-dire présent à l'action du théâtre comme
à une véritable action, j'estime que les anciens qui se sont astreints à
35 la règle des vingt-quatre heures ont cru que s'ils portaient le cours de
leur représentation au-delà du jour naturel, ils rendraient leur ouvrage
non vraisemblable au respect de ceux qui le regardaient, lesquels pour
disposition que pût avoir leur imaginative[4] à croire autant de temps
écoulé durant leur séjour à la scène que le poète lui en demanderait,
40 ayant leurs yeux et leurs discours témoins et observateurs exacts du
contraire, ou même, quelque probable que fût la pièce d'ailleurs, s'aper-

---

1. *Créance* : croyance. \ **2.** *Histrions* : acteurs. \ **3.** *Assiette* : attitude, état d'esprit. \ **4.** *Pour* [...]
imaginative : même si leur imagination était disposée à.

cevraient par là de sa fausseté et ne lui pourraient plus ajouter de foi
ni de créance, sur quoi se fonde tout le fruit que la poésie pût produire
en nous. [...]

45   Je trouve encore, pour répondre à votre troisième argument, que la
disposition dans laquelle vous mettez le spectateur lorsqu'il se range au
théâtre est sujette à contradiction. Car bien qu'il soit vrai en soi que ce
qui se représente soit feint, néanmoins celui qui le regarde ne doit point
regarder comme une chose feinte mais véritable, et à faute de la croire
50 telle pendant la représentation au moins et d'entrer dans tous les sentiments des acteurs comme réellement arrivant, il n'en saurait recevoir le
bien que la poésie se propose de lui faire et pour lequel elle est principalement instituée : de manière que quiconque va à la comédie avec cette
préparation que vous dites, de n'entendre rien que de faux et de n'être pas
55 véritablement au lieu où le poète veut que l'on soit, abuse de l'intention
de la poésie et perd volontairement le fruit qu'il en pourrait tirer.

TEXTE 3 • **Antoine Adam, *Histoire de la littérature française au XVIIᵉ siècle* (1948)**
Paris, Albin Michel, 1997 (1948 pour la 1ʳᵉ éd.), t. I.

Dans cet ouvrage classique, l'auteur, professeur à la Sorbonne, propose un panorama des
conditions dans lesquelles la littérature a évolué durant le Grand Siècle.

Enfin et surtout, il y eut l'action personnelle de Richelieu. Le premier
signe de l'intérêt qu'il porte au théâtre n'apparaît qu'en 1629. Cette année-
là, il donne la comédie au roi et à la reine. Chose curieuse, Boisrobert, en
1633, hésitait encore à lui dédier son *Pyrandre*, comme si le grand homme
5 était au-dessus de ce genre de bagatelles. Il n'en est pas moins vrai qu'en
1631, Richelieu portait un vif intérêt à la pastorale et se réjouissait de
voir dans la *Filis de Scire* de Pichou une pièce enfin régulière.

À partir de ce moment, il devint évident que le cardinal avait décidé
de diriger lui-même les développements de l'art dramatique en France.
10 Il fut le protecteur de Boisrobert et, à partir de 1632, de Rotrou. Il fit
davantage encore pour Des Marests. Il le décida à écrire des pièces et lui
fournit des sujets et peut-être des plans. Il patronna Montdory et la troupe
du Marais put se glorifier d'avoir l'appui, non pas seulement du comte de
Belin, mais du cardinal ministre.
15 Il fit plus. Il réunit cinq auteurs, Rotrou, L'Estoille, Corneille, Boisrobert et Colletet. Il prétendit que cette équipe lui fournît des pièces sur
commande. Chapelain, de son côté, devait fournir des canevas ou les retou-
cher. Étonnante caporalisation du talent, sous la contrainte d'un génie
impérieux ! [...]

20   Pour ces représentations, Richelieu avait fait construire dans son palais
une salle de spectacle. Jusqu'en 1637, il s'était contenté d'une installa-
tion de fortune. Cette année-là, il ordonna à l'architecte Mercier de bâtir
une salle conçue spécialement pour des représentations dramatiques. Ce
fut la plus belle salle de Paris. Elle présentait, à vrai dire, un défaut grave :
25   le terrain manquait. On ne put obtenir que neuf toises de largeur. Mais
elle offrait des innovations considérables. Le parterre était formé de vingt-
sept degrés de pierre sur lesquels étaient fixées des formes de bois servant
de banquettes. Le fond de la salle était circulaire, et modifiait donc les
formes rectangulaires héritées des jeux de paume. Le plafond, au lieu de
30   la charpente traditionnelle, présentait une voûte très ornée. La scène était
construite en vue des jeux de machines les plus compliqués. L'inaugura-
tion eut lieu le 1er janvier 1641, à la première de *Mirame*.

TEXTE 4 • Jean Rousset, *La Littérature de l'âge baroque en France. Circé et le Paon* (1954)
Paris, José Corti.

Jean Rousset est l'un des critiques à qui l'on doit la redécouverte du baroque littéraire en
France. Il est notamment l'auteur d'une *Anthologie de la poésie baroque française* (José Corti,
1988), qui présente les œuvres de nombreux poètes éclipsés par le prestige du classicisme.

Circé[1] et le Paon[2], la métamorphose et l'ostentation : voilà le commen-
cement et la fin du parcours accompli à travers le siècle baroque. Ces termes extrêmes sont conjoints ; de l'un à l'autre, la relation est intime et nécessaire : l'homme en mutation, l'homme multiforme est fatalement amené
5   à se concevoir comme l'homme du paraître. Circé, appuyée sur Protée[3],
indique la voie au bout de laquelle s'érige la figure mouvante, illusoire
et décorative du Paon.
Circé incarne le monde des formes en mouvement, des identités
instables, dans un univers en métamorphose conçu à l'image de l'homme
10   lui aussi en voie de changement ou de rupture, pris de vertige entre des
moi multiples, oscillant entre ce qu'il est et ce qu'il paraît être, entre son
masque et son visage. Circé et ses semblables, les magiciennes et les enchan-
teurs, répandus à foison dans les jeux et les rêves de l'Europe, au début
du XVIIe siècle, proclament à travers les bouffonneries du ballet de cour et
15   les enchantements de la pastorale que tout est mobilité, inconstance et
illusion dans un monde qui n'est que théâtre et décor. [...]

---

1. *Circé* : magicienne célèbre de l'Antiquité, symbole de la métamorphose. \ **2.** *Paon* : emblème de
l'ostentation, du faste brillant. \ **3.** *Protée* : divinité de la mythologie grecque qui avait la possibilité
de prendre toutes les apparences et de se métamorphoser en toutes sortes de monstres.

Il est naturel que cette époque qui s'exprime par le théâtre et qui exprime tout, jusqu'à son angoisse et à ses interrogations, en termes de théâtre, achemine à ses extrêmes conséquences le principe même de tout théâtre :
20   le masque et le décor, et en vienne à faire du théâtre lui-même l'objet de son théâtre, en multipliant le théâtre sur le théâtre et la pièce dans la pièce. Dans ce monde comparable à une vaste scène tournante, tout devient spectacle, y compris la mort, qui obsède les imaginations au point que l'homme s'en joue à lui-même le scénario, se regardant mort, ou plutôt
25   mourant ; car c'est le mouvement et le passage qui le séduit en premier lieu, et la mort elle-même se présente à lui en mouvement. Ce sont également des images de mouvement qui commandent toute une part de la poésie, pour qui la vie est écoulement et inconstance ; s'il y a des esprits qui tentent de s'arracher à cet écoulement qu'ils éprouvent jusqu'à l'hor-
30   reur, les poètes de la vie fugitive, au contraire, s'immergent dans le monde de la métamorphose et varient avec une joie émerveillée le thème du « tout change » à travers un lyrisme de la flamme, du nuage, de l'arc-en-ciel et de la bulle, accompagnés en sourdine par le chœur de ceux qui répètent, de Montaigne à Pascal et au Bernin, que « l'homme n'est jamais plus
35   semblable à lui-même que lorsqu'il est en mouvement » ; c'est la devise d'un temps dans lequel la rupture et le changement semblent être à l'origine du sentiment qu'on a d'aimer, de jouir, de vivre.

TEXTE 5 • Georges Forestier, *Le Théâtre dans le théâtre* (1996)
Genève, Droz.

Professeur à la Sorbonne, Georges Forestier est un universitaire spécialiste du théâtre du XVIIᵉ siècle, qui a dirigé plusieurs éditions de référence de textes dramatiques, et notamment celle des œuvres de Racine dans la « Bibliothèque de la Pléiade ».

L'Illusion comique représente le point limite de la dramaturgie de l'illusion : sur le premier plan, celui de l'illusion dramatique, vient se greffer un second niveau d'illusion, l'illusion magique – simple variante de l'illusion théâtrale – qui enserre lui-même une troisième illusion, pur trompe-
5   l'œil se résolvant à son tour en illusion théâtrale. Chaque niveau d'action dramatique a son illusion, la somme de ces illusions, si l'on peut dire, aboutissant à l'illusion pure. Pour Corneille, comme l'indique clairement le titre de la pièce, il n'est pas de théâtre sans illusion ; et l'utilisation de la structure du théâtre dans le théâtre qui permet de reculer les limites
10   de celle-ci et de rendre les rapports entre la réalité et la « feinte » totalement déréalisants pour l'assistance, constitue à ce titre la meilleure « profession de foi » du théâtre « baroque ».

TEXTE 6 • Corneille, *L'Illusion comique*, acte V, scène 4, version de 1660

En 1660, Corneille choisit de faire disparaître le personnage de Rosine de la pièce et remplace la confrontation qui l'oppose à Clindor-Théagène dans la scène 4 de l'acte V par une scène à la tonalité plus tragique.

ÉRASTE, *poignardant Clindor*

Reçois, traître, avec joie
Les faveurs que par nous ta maîtresse t'envoie.

PRIDAMANT, *à Alcandre*
On l'assassine, ô Dieux ! daignez le secourir.

ÉRASTE
Puissent les suborneurs ainsi toujours périr !

ISABELLE
5 Qu'avez-vous fait bourreaux ?

ÉRASTE

Un juste et grand exemple
Qu'il faut qu'avec effroi tout l'avenir contemple,
Pour apprendre aux ingrats, aux dépens de son sang,
À n'attaquer jamais l'honneur d'un si haut rang.
Notre main a vengé le prince Florilame,
10 La princesse outragée, et vous-même, Madame,
Immolant à tous trois un déloyal époux,
Qui ne méritait pas la gloire d'être à vous.
D'un si lâche attentat souffrez le prompt supplice,
Et ne vous plaignez point quand on vous rend justice.
15 Adieu.

ISABELLE

Vous ne l'avez massacré qu'à demi,
Il vit encore en moi ; soûlez son ennemi :
Achevez, assassins, de m'arracher la vie.
Cher époux, en mes bras, on te l'a donc ravie !
Et de mon cœur jaloux les secrets mouvements
20 N'ont pu rompre ce coup par leurs pressentiments !
Ô clarté trop fidèle, hélas ! et trop tardive,
Qui ne fait voir le mal qu'au moment qu'il arrive !
Fallait-il… Mais j'étouffe, et, dans un tel malheur,

Mes forces et ma voix cèdent à ma douleur ;
25 Son vif excès me tue ensemble et me console,
Et puisqu'il nous rejoint…

LYSE

Elle perd la parole.
Madame… Elle se meurt ; épargnons les discours,
Et courons au logis appeler du secours.

(Ici on rabaisse une toile qui couvre le jardin et le corps de Clindor et d'Isabelle, et le Magicien et le père sortent de la grotte.)

L'ŒUVRE DANS UN GENRE

UNE ŒUVRE INSCRITE DANS PLUSIEURS GENRES

L'identité générique de *L'Illusion comique* est assez problématique. Corneille inscrit sa pièce dans le genre de la comédie mais l'*Examen* de 1660 souligne la « nouveauté de ce caprice » et ses « irrégularités » évidentes. Dès la dédicace de 1639, Corneille montrait qu'il était conscient du mélange de genres identifiable dans l'écriture de son « étrange monstre » :

> Le premier acte n'est qu'un prologue, les trois suivants font une comédie imparfaite, le dernier est une tragédie, et tout cela, cousu ensemble, fait une comédie (l. 1-3).

En quoi donc *L'Illusion comique* est-elle une « pièce capricieuse » ? Comment se repérer dans l'assemblage bariolé de genres qu'elle compose sous nos yeux ?

UNE COMÉDIE

Il faut d'abord reconnaître en elle les traits qui la rattachent effectivement à la comédie. Car si *L'Illusion comique* ne se conforme pas à toutes les normes du comique, elle est néanmoins donnée comme une comédie. Dans la hiérarchie des genres dramatiques, la comédie est inférieure à la tragédie et supérieure à la farce. C'est un genre moyen qui met en scène des personnages ordinaires, bourgeois ou gens du peuple, auxquels le spectateur n'a pas de difficulté à s'identifier. Pridamant, Dorante, Clindor, Géronte et Isabelle, par exemple, entrent bien dans ces catégories sociales. Les ressorts de l'action comique sont le rire et la sympathie : il s'agit de susciter chez les spectateurs un type de participation tout à fait spécifique. C'est bien le cas pour certaines scènes de notre pièce, notamment les scènes de badinage entre Lyse et Clindor (III, 5) et celles présentant le complot entre Lyse et Isabelle à l'acte IV. Le spectateur peut aisément sourire des aventures amoureuses des héros et souhaiter leur satisfaction. Enfin, la comédie présente des personnages qui surmontent des obstacles familiaux et nous conduisent vers un dénouement heureux : à la fin de *L'Illusion comique*, Pridamant retrouve son fils Clindor en vie et dans une situation honnête ; Isabelle, après s'être affrontée à son père, a elle aussi acquis un statut convenable. Du point de vue de l'action, la pièce, par de nombreux traits, relève bien du genre de la comédie.

Elle illustre d'ailleurs plusieurs procédés typiques du genre comique : le comique de mots tout d'abord, qui se caractérise par un usage ludique du langage et dont la fantaisie verbale de Matamore fournit un exemple typique. Le comique de gestes, qui reprend les mimiques et la gestuelle de la pantomime, est également présent dans les scènes où apparaît le capitan, notamment dans son perpétuel mouvement de fuite. Matamore, écoutant secrètement Clindor et Isabelle à la scène 8 de l'acte III, sortant de sa cachette pour surprendre Isabelle et Lyse à la scène 4 de l'acte IV, est souvent porteur du comique de situation, qui joue des rencontres inattendues, des quiproquos, des déguisements. Enfin, le personnage est un type burlesque dont la fonction est de susciter un comique de caractère : Corneille, comme beaucoup d'autres dramaturges avant lui, caricature et ridiculise à dessein la vantardise et la lâcheté du personnage. Les scènes entre Clindor et Matamore, jouant principalement du comique de situation et du comique de mots, ont tous les traits de la comédie burlesque héritière de la farce. Mais la caricature y est plus finement représentée, notamment grâce au jeu du valet qui fait briller de tout son faux éclat le discours du fanfaron dont les rodomontades provoquent autant le rire que sa couardise.

Il faut rattacher à la comédie légère les scènes de l'acte II dans lesquelles Clindor vit ses aventures avec assez d'insouciance pour provoquer le sourire et même le rire du spectateur. Matamore n'est pas le seul personnage à souligner l'appartenance de la pièce à la comédie : Isabelle évoque le même univers. Elle porte d'ailleurs le prénom de la jeune amoureuse typique de la *commedia dell'arte*, tandis que Lyse est proche d'un autre modèle comique, celui de la soubrette vive et entreprenante. Clindor, picaro vivant de petits métiers, valet d'un soldat bavard, est pourvu de tous les traits du jeune amoureux de comédie avant d'apparaître comme un séducteur changeant. Les personnages de Géronte, père autoritaire, et d'Adraste, rival dangereux, sont typiques de la comédie. Enfin, la situation qui structure doublement la pièce, le conflit de génération entre Pridamant et Clindor, et entre Géronte et Isabelle, est un schéma très souvent utilisé dans le théâtre comique.

L'INFLUENCE DE LA TRAGÉDIE ET DE LA TRAGI-COMÉDIE

Selon le strict partage des genres qui se met progressivement en place au XVIIe siècle, la comédie est un genre « bas », et ses personnages ne sauraient être animés de préoccupations nobles. Pourtant, les sentiments qui les agitent ici sont forts et élevés. Les questions de l'amour et de l'honneur les divisent ; ils réfléchissent sur les rapports entre le mensonge et la vérité, et doivent choisir la liberté ou la soumission. En bien des endroits, la pièce s'élève au-dessus de la comédie.

À partir de l'acte III, l'action se rattache davantage à la tragi-comédie en vogue au temps de Corneille : le ton se fait plus grave, les menaces plus lourdes, les affrontements plus violents. Le sang est versé, Clindor est emprisonné, condamné à mort. L'acte IV présente lui aussi beaucoup d'affinités avec le genre de la tragi-comédie qui multiplie les péripéties et joue avec l'inquiétude des spectateurs. Enfin, l'acte V représente une tragédie : celle-ci met en scène des personnages de haut rang évoquant des notions générales et abstraites (la vertu, la gloire, l'honneur) dans des discours oratoires. Certes, cette tragédie concerne Théagène et Hippolyte, et non Clindor et Isabelle. Mais rien dans l'écriture dramatique ne permet de le savoir. Corneille prend d'ailleurs soin d'établir une continuité entre les actes précédents et le dernier. Clindor, condamné à mort au quatrième acte, meurt assassiné au cinquième : des événements tragiques succèdent aux événements comiques. Le dramaturge ne cherche pas à délimiter les différentes inspirations qui participent à la construction de sa pièce ; bien au contraire, il cherche à les fondre dans un seul spectacle. Les mêmes comédiens jouent comédie, tragi-comédie puis tragédie, et l'ensemble est encadré par les scènes de l'acte I et les dernières scènes de l'acte V, où Alcandre et Pridamant conversent dans un décor et un climat typiques d'un quatrième genre, la pastorale. La structure de l'enchâssement permet donc d'unifier le mélange générique du point de vue de l'action. Pourtant, de telles audaces de construction provoquent souvent la surprise du spectateur par des associations inattendues et de nets effets de rupture. Ainsi, personnage de comédie, Lyse prononce pourtant un monologue pathétique à la vive couleur tragique (III, 6). De même, le monologue de Clindor dans son cachot (IV, 7) est propre à susciter les deux passions tragiques : la terreur et la pitié.

L'Illusion comique emprunte également à la tragi-comédie son art de la tension dramatique et de la préparation d'un dénouement heureux mais inattendu : Clindor s'évade, mais c'est au prix d'un stratagème délicat ; Clindor-Théagène est tué sur scène mais ce n'était finalement qu'un jeu. À la tragi-comédie, Corneille emprunte enfin de nombreux clichés : le monologue du héros emprisonné, le personnage du geôlier corrompu, l'enlèvement consenti de l'amoureuse, la fuite des amants, le thème de l'adultère (fréquent dans la production dramatique de l'époque). Cependant Corneille renouvelle ces clichés : Isabelle représente bien l'amoureuse traditionnelle mais elle possède aussi des traits nouveaux : elle affirme une volonté d'indépendance et un esprit de liberté par rapport aux normes de son temps ; elle refuse les conventions de la préciosité amoureuse et repousse les déclarations stéréotypées de Clindor. Et si le sujet de la pièce, un amour réciproque contrarié, est bien un lieu commun de la comédie, Corneille le renouvelle profondément, en particulier grâce au personnage de Lyse, à la fois domestique et rivale de sa maîtresse, amoureuse frustrée qui renonce à sa vengeance pour préférer le rôle du metteur en scène providentiel : « Ainsi, Clindor, je fais moi seule ton destin » (IV, 3, v. 1144). L'amour s'exerce désormais comme un pouvoir sur l'autre. Lyse dépasse son dépit amoureux pour devenir la première grande soubrette du théâtre français. Par son espièglerie et son impertinence, elle annonce les Toinette de Molière et les Lisette de Marivaux.

LES EMPRUNTS À LA FARCE ET À LA PASTORALE

Des personnages comme Matamore déclament sur les scènes depuis l'Antiquité : c'est le dramaturge latin Plaute (IIe siècle avant J.-C.) qui a inventé le type du *miles gloriosus*, le « soldat fanfaron » ou le « capitan ». Matamore est ensuite devenu un type de la *commedia dell'arte*. Le personnage est souvent utilisé dans la comédie de l'époque. Il permet de ridiculiser les officiers arrogants et les soldats brutaux dont Paris a souffert à la fin du XVIe siècle d'abord, puis au cours de la période troublée qui a suivi la mort d'Henri IV en 1610. Dans les années 1630, le capitan appartient à la tradition théâtrale et à la littérature populaire. Mais Corneille parvient à renouveler le personnage en le situant dans un cadre qui lui est étranger, celui de la tragi-comédie, et en jouant pleinement des ressources de sa fantaisie verbale. Le discours du fanfaron fait souffler un vent de folie sur la scène : mots exotiques, héroïques, galants, s'accumulent et contribuent à la force oratoire d'un propos où abondent les exemples imagés.

Le magicien Alcandre est un personnage tiré des pastorales. Il est indissociable de toute une thématique mystérieuse évoquée dans la pièce par le décor de la grotte. Le type du sorcier, venu de la littérature italienne, avait son modèle dans *L'Astrée*, le roman à succès d'Honoré d'Urfé. Mais dans *L'Illusion comique*, il acquiert une compétence supplémentaire et originale. Alcandre est le metteur en scène de la représentation, le démiurge, c'est-à-dire le créateur grâce auquel le spectacle est possible. Avec les personnages de Matamore et d'Alcandre, Corneille prend acte de la prédominance de la farce et de la pastorale au début du siècle. L'une est caractérisée par la simplification extrême des situations, l'utilisation des types théâtraux, la recherche du rire sans nuance ; l'autre par la complexité des intrigues amoureuses entre bergers et bergères dans une campagne utopique. La comédie de Corneille, qui reprend des personnages convenus et bien identifiés dans deux traditions littéraires, leur confère aussi davantage d'épaisseur et une plus grande individualité : le Matamore de Corneille n'a-t-il pas éclipsé tous ses devanciers ?

UNE ŒUVRE INCLASSABLE

LE MÉLANGE DES GENRES

Corneille construit une œuvre complexe et agence minutieusement la cohabitation des différents genres (comique et tragique notamment). *L'Illusion comique* présente, à partir de l'acte II et jusqu'à la tragédie du dernier acte, une alternance régulière entre scènes comiques, voire bouffonnes, et scènes sérieuses, voire graves ou pathétiques : le mélange des genres suppose la convocation de nombreux registres. À l'acte II, nous assistons tout d'abord à une scène proche de la farce entre Matamore et Clindor ; puis à une discussion tendue entre Adraste et Isabelle. Matamore et Clindor viennent redonner le sourire au spectateur, avant que l'acte ne s'achève sur les discours menaçants d'Adraste et sur les projets inquiétants de Lyse. Au début de l'acte III, Matamore désamorce la tension qui suit l'affrontement entre Isabelle et son père. Puis il cède la place à l'ironie douce-amère de Lyse, avant de revenir pour un monologue brillant. L'inquiétude renaît avec l'annonce par Isabelle des mauvaises dispositions de son père. L'intervention burlesque de Matamore permet une courte séquence comique avant l'emprisonnement de Clindor. Cette succession ordonnée de registres contraires se poursuit à l'acte IV et régit également le dénouement de l'acte V qui nous fait passer de la tragédie à la comédie.

Le dénouement clôt la pièce et lui confère son unité d'action. L'enchaînement des différentes séquences dramatiques a en effet permis de répondre à une question unique dans le temps de la représentation : qu'est devenu Clindor ? Mais les différents moments de la pièce associent des scènes relevant de genres habituellement dissociés (tragédie, comédie), et ils constituent aussi des variations sur de nombreux registres (comique, tragique, pathétique, burlesque, etc.) constitutifs de ces genres.

La pièce refuse à dessein l'unité de genre et l'homogénéité de registre. Un critique a pu dire que *L'Illusion comique* « ne ressemble à rien et constitue à elle seule une catégorie[1] ». La pièce peut se lire comme un catalogue savant et ludique des genres en vogue à l'époque de Corneille, qui nous invite à un spectacle illustrant les multiples potentialités de l'art dramatique appréhendé dans toute sa richesse. Après *L'Illusion comique*, Corneille fondera son succès sur des tragi-comédies et des tragédies bien définies, et il se conformera peu à peu à la codification progressive de la distinction des genres. Mais en 1635, il est plus soucieux d'invention et d'intensité que de pureté et de clarté. *L'Illusion comique* constitue un moment clé de sa réflexion sur les genres. Cette pièce subtile permet au spectateur de prendre conscience des effets spécifiques à chaque genre. Au sein même de l'intrigue, Pridamant incarne la sensibilité du spectateur, touché et ému différemment selon les scènes.

L'UNITÉ D'UN PROJET

Associant les genres et les registres, *L'Illusion comique* est une pièce atypique, qui manifeste pourtant une unité certaine. La pièce refuse ironiquement toute allégeance à un genre et à des règles uniques. Corneille y fait naître les genres les uns des autres : d'une pastorale il tire une farce, qui s'affine en comédie et tourne en tragi-comédie avant de s'élever vers la tragédie et de se refermer sur la pastorale initiale. Il est possible de souligner à la fois l'éclatement de la pièce et son unité : plusieurs temps en une représentation à Pridamant, plusieurs lieux vus de la grotte, plusieurs actions en une seule quête, *L'Illusion comique* est « comme on voudra, d'une irrégularité débridée ou d'une régularité irréprochable[2] ». Avec cette pièce, Corneille a voulu composer un monument à la gloire du théâtre. La dédicace d'une de ses comédies, *La Suivante* (1634), précisait déjà son ambition de « poète dramatique » :

> Puisque nous faisons des poèmes pour être représentés, notre premier but doit être de plaire à la Cour et au peuple et d'attirer un grand monde à leurs représentations. Il faut, s'il se peut, y ajouter les règles, afin de ne déplaire pas aux savants et recevoir un applaudissement universel ; mais surtout gagnons la voix publique ; autrement, notre pièce aura beau être régulière, si elle est sifflée au théâtre, les savants n'oseront se déclarer en notre faveur et aimeront mieux dire que nous aurons mal entendu les règles que de nous donner des louanges quand nous serons décriés par le consentement général de ceux qui ne voient la comédie que pour se divertir.

1. Jacques Scherer, « Diversité du théâtre de Corneille », in *Présence de Pierre Corneille*, Paris-Rouen, 1984, p. 17. \ **2.** Robert Garapon, *Le Premier Corneille*, Paris, SEDES, 1982, p. 53.

Fondre tous les genres à la mode dans les salles de spectacle en 1635 en une pièce unique et éclatante, c'était bien s'assurer les suffrages du parterre.

GROUPEMENT DE TEXTES : SCÈNES DE GENRE

TEXTE 7 • *L'Illusion comique*, acte I, scène 1

Ce grand mage [...] des miracles de l'art.

> VERS 1-88, PAGES 11-14

La technique d'exposition

1. La scène d'exposition de *L'Illusion comique* se conforme-t-elle aux règles d'écriture en vigueur dans le théâtre classique ? Vous pourrez par exemple examiner la manière dont les indications de temps et de lieux sont insérées dans le dialogue.

■ Pour répondre

Selon les principes classiques qui se mettent en place dans la première moitié du XVIIe siècle, la première scène doit offrir au spectateur toutes les informations susceptibles de lui permettre de suivre les événements représentés. C'est pourquoi la scène d'exposition donne, le plus naturellement possible, des renseignements sur le lieu, le temps, les personnages en présence, leurs rapports, les problèmes qui se présentent à eux.

2. Quelles informations la présentation du personnage d'Alcandre livre-t-elle au spectateur ? Quelles attentes Corneille veut-il créer ?

■ Pour répondre

La scène d'exposition utilise tout particulièrement une stratégie d'écriture propre au théâtre qu'on appelle la double énonciation : le dramaturge fait dialoguer deux personnages et, en même temps, il s'adresse aussi au spectateur auquel il transmet des informations sur la conduite de l'action, le caractère des personnages, etc. Cette communication détournée crée l'illusion théâtrale. Elle permet au spectateur d'adhérer au spectacle et de comprendre la progression de l'action.

3. Quelle est la fonction précise du personnage de Dorante dans cette scène d'exposition ? Pourquoi selon vous Corneille fait-il disparaître l'ami de Pridamant de la suite de l'action ?

Le héros picaresque

1. Pourquoi peut-on dire que les tirades d'Alcandre présentent Clindor sous les traits d'un héros picaresque ? Vous vous appuierez en particulier sur les notations temporelles, le rythme des vers et sur l'ordre de succession des activités de Clindor.

2. Comment Alcandre procède-t-il pour atténuer chez son interlocuteur l'effet de son discours ? Quelle position symbolique Alcandre assigne-t-il finalement à Pridamant ?

Le soldat fanfaron

1. Étudiez le style de ce passage : quelles images, quel lexique le personnage utilise-t-il ? Pourquoi multiplie-t-il les noms propres et les effets de sonorité ? Quelle est l'utilité de ces vers ?

2. Étudiez le rôle de Clindor dans cette scène : comment le jeu théâtral du valet permet-il de souligner davantage encore la folie du maître ?

Un monologue

1. Comment la construction du monologue et son rythme permettent-ils de retenir l'attention du spectateur ?

2. Étudiez le lyrisme du discours de Clindor et la manière dont Corneille lui donne vie. Vous vous attacherez en particulier aux artifices particuliers de l'apostrophe à Isabelle et de l'hallucination finale, ainsi qu'au maniement des temps verbaux, en vous demandant quels effets ils peuvent produire.

3. En quoi ce monologue évoque-t-il l'esthétique baroque ? Appuyez-vous sur le relevé des principales figures de rhétorique employées. Quels aspects de l'univers tragique retrouvons-nous également dans ce passage ? Précisez notamment la conception de l'amour à laquelle se réfère le personnage.

TEXTE 11 • *L'Illusion comique*, **acte V, scène 6,**

> Ainsi de notre espoir [...] l'éternel souvenir.

> VERS 1725-1824, PAGES 94-98

Un dénouement complexe

1. Combien faut-il de coups de théâtre pour mettre fin au spectacle ? Quels sont-ils ? Qui surprennent-ils ? À quoi servent-ils ?

■ Pour répondre

Pour l'esthétique pré-classique et classique, le dénouement représente le moment où le nœud se dénoue, où l'action est achevée, où les obstacles sont levés, les problèmes résolus. La scène finale est aussi une scène d'explication et de commentaire sur les événements dont le spectateur a été témoin.

2. Alcandre prolonge le tragique de la scène 5 jusqu'au vers 1746. Quel est l'intérêt de ce quiproquo prolongé à la fin d'une comédie ? Que révèle-t-il des intentions du magicien ?

3. Quel rôle Alcandre attribue-t-il au spectacle dramatique ? De quelle utilité ce spectacle a-t-il été pour Pridamant ? Quelles perspectives de dénouement ouvre-t-il sur les relations ultérieures entre Pridamant et son fils ?

VERS L'ÉPREUVE

ARGUMENTER, COMMENTER, RÉDIGER

L'ARGUMENTATION DANS L'ŒUVRE

L'étude de l'argumentation dans l'œuvre intégrale privilégie deux objets :
■ *L'argumentation dans l'œuvre. Chaque genre littéraire, chaque œuvre intégrale exprime un point de vue sur le monde. Un roman, une pièce de théâtre, un recueil de poésies peuvent défendre des thèses à caractère esthétique, politique, social, philosophique, religieux, etc. Ordonner les épisodes d'une œuvre intégrale, élaborer le système des personnages, recourir à tel ou tel procédé de style, c'est aussi, pour un auteur, se donner les moyens d'imposer un point de vue ou d'en combattre d'autres. Ce premier aspect est étudié dans une présentation synthétique, adaptée à la particularité de l'œuvre étudiée.*
■ *L'argumentation sur l'œuvre. Après publication, les œuvres suscitent des sentiments qui s'expriment dans des lettres, des articles de presse, des ouvrages savants… Chaque réaction exprime donc un point de vue sur l'œuvre, loue ses qualités, blâme ses défauts ou ses excès, éclaire ses enjeux. Une série d'exercices permet d'analyser des réactions publiées à différentes époques, dans lesquelles les lecteurs de l'œuvre, à leur tour, entendent faire partager leurs enthousiasmes, leurs doutes ou leurs réserves.*
Quelle vision du monde, quelles valeurs une œuvre véhicule-t-elle, et comment se donne-t-elle les moyens de les diffuser ? Quelles réactions a-t-elle suscitées, et comment les lecteurs successifs ont-ils voulu imposer leur point de vue ? L'étude de l'argumentation dans l'œuvre et à propos de l'œuvre permet de répondre à cette double série de questions.

DÉFENSE ET ILLUSTRATION DU THÉÂTRE

Réhabiliter un genre suspect

À l'époque où Corneille renonce à une carrière d'avocat pour tenter l'aventure du théâtre, l'art dramatique est encore mal considéré. Il pèse sur le théâtre et sur les comédiens une suspicion ancienne et durable : un milieu qui vit par le déguisement et le mensonge ne peut être recommandable et les passions représentées sur scène sont souvent considérées comme de mauvais exemples pour les victimes de l'illusion théâtrale. Condamné par l'Église, le théâtre conserve une réputation d'immoralité et Pridamant, à la fin de la pièce, se fait l'écho de cette défiance en s'étonnant de la « fortune » de son fils devenu comédien : « Est-ce là cette gloire et ce haut rang d'honneur/Où le devait monter l'excès de son bonheur ? » (v. 1779-1780).

Mais la Cour et les Grands apprécient et estiment l'art dramatique qui bénéficie d'un anoblissement progressif. *L'Illusion comique* participe à l'entreprise de réhabilitation du théâtre à l'œuvre dans la première partie du XVIIe siècle, et c'est d'abord en cela qu'elle relève d'un projet argumentatif. Sous l'influence de Richelieu, l'art dramatique conquiert peu à peu ses lettres de noblesse et sa considération parmi les honnêtes gens ; le théâtre devient un divertissement inoffensif et agréable. Cette évolution est officiellement reconnue par une déclaration royale du 11 avril 1641 :

> En cas que lesdits comédiens règlent tellement les actions du théâtre qu'elles soient du tout exemptes d'impuretés, nous voulons que leur exercice, qui peut innocemment divertir nos peuples de diverses occupations mauvaises, ne puisse leur être imputé à blâme ni préjudice à leur réputation dans le commerce public.

Antoine Adam, critique et historien de la littérature, peut donc écrire que si Corneille « a écrit *l'Illusion comique*, c'est pour y placer un plaidoyer en faveur du théâtre. Il défend sa cause avec verve, avec chaleur, avec un désir passionné de convaincre. On sent qu'elle lui tient à cœur. Corneille aurait-il souffert, pour son propre compte, du mépris qui s'attachait alors aux choses du théâtre ? A-t-il été renié par les siens ? A-t-il voulu les convaincre qu'ils se trompaient ? Que la carrière dramatique où il s'était engagé était maintenant honorable ? On ignore trop sa vie privée pour mesurer jusqu'à quel point Corneille a eu le sentiment, en plaidant pour les gens du théâtre, de plaider pour lui-même. Mais la chaleur persuasive de son apologie est sensible à quiconque la lit[1] ».

Même s'il est impossible et vain de reconstituer le détail des motivations de Corneille, force est de constater que la défense et illustration du théâtre à l'œuvre dans *L'Illusion comique* prennent tout son sens dans un contexte familial et social très particulier.

La défense du théâtre dans L'Illusion comique

C'est dans la bouche d'Alcandre, le magicien, que Corneille choisit de placer sa démonstration en faveur du théâtre. Ce choix renforce le poids du plai-

---

1. *Histoire de la littérature française au XVIIe siècle*, Paris, Albin Michel, 1997, 1948 pour la 1re éd., t. I, p. 504.

doyer car Alcandre, « grand démon du savoir », possède à la fois l'autorité du devin et celle du metteur en scène. Corneille prend soin d'encadrer la représentation par ses avertissements et ses jugements favorables à l'art dramatique. Ainsi, à la scène 2 de l'acte I, Alcandre promet à Pridamant : « Vous reverrez ce fils plein de vie et d'honneur » (v. 123) ; il lui présente « en parade les plus beaux habits des comédiens » et souligne que « Personne maintenant n'a de quoi murmurer/Qu'en public de la sorte il ose se parer » (v. 143-144). Il signale ainsi, dans une allusion transparente à la profession embrassée par Clindor, l'ascension sociale vécue par le fils de Pridamant. Et le mage insiste sur la dignité et la reconnaissance acquises par Clindor : « Je vous le veux montrer plein d'éclat et de gloire » (I, 3, v. 205).

Au terme de l'action, l'apologie du théâtre est explicitement prononcée dans la dernière scène de la pièce, où Alcandre convainc Pridamant du bien-fondé du choix de son fils. Il énumère méthodiquement les divers aspects de la rénovation théâtrale et répond en cela à l'indignation du père (« Mon fils comédien ! », v. 1765) par des arguments très concrets. Le magicien montre d'abord Clindor et ses comparses comptant de l'argent : il indique ainsi que Clindor gagne honnêtement sa vie après avoir été vagabond et picaro. Pridamant, bourgeois prudent, ne peut qu'être sensible à cet argument financier. Puis Alcandre énonce un autre argument qui tient davan-tage à la nature même du théâtre : pratiquant un « art si difficile », le comé-dien n'est plus un vil individu mais un habile technicien, voire un artiste qui mérite, et reçoit, l'« admiration ». Le troisième temps de l'argumen-tation du magicien s'appuie sur la considération sociale et esthétique dont jouit le théâtre contemporain. Alcandre souligne une évolution des menta-lités que Pridamant est invité à admettre (v. 1781-1792) : le théâtre est utile à toutes les classes sociales, du peuple jusqu'au roi. Le magicien évoque ensuite le mérite esthétique et intellectuel attaché à l'art drama-tique (v. 1798-1800), avant de revenir sur les avantages économiques de la profession de comédien : « Le théâtre est un fief dont les rentes sont bonnes » (v. 1802). Sa conclusion est attendue : Pridamant doit se défaire de ses préjugés, de cette « erreur commune » (v. 1805) qui l'aveuglait sur la véritable nature de l'art dramatique. L'argumentation est efficace et elle atteint son but : « Clindor a trop bien fait » (v. 1815), déclare Pridamant.

La structure de la pièce, avec son exposition qui organise un spectacle dont le sens est explicitement dévoilé lors du dénouement, contribue à mettre en évidence les vertus du théâtre, présenté comme un moyen privilégié d'accès à la vérité.

LA CATHARSIS PAR L'ILLUSION

La force du spectacle, le pouvoir de l'illusion

Corneille ne cherche pas seulement à justifier le théâtre d'un point de vue moral, question qui occupe tous les théoriciens du XVIIe siècle. Il cherche aussi à montrer, par la structure même de sa pièce, que l'illusion théâtrale peut procurer un plaisir salutaire. Il présente donc une apologie en scène. Pridamant, victime de l'illusion qui fait tout l'agrément de la comédie, reconnaît avoir été ébloui par la puissance du théâtre qui trompe nos sens et conduit notre imagination. « N'en croyez que vos yeux » (v. 1815), lui conseille Alcandre : voir au théâtre, c'est accepter la fascination de l'illusion dramatique, c'est croire à la validité du fait théâtral.

C'est bien pourquoi Alcandre met souvent en garde son client-spectateur contre la tentation de quitter la grotte avant la fin du « spectacle ». La première scène de l'acte II exalte ainsi le pouvoir de la représentation dramatique : « De la grotte surtout ne sortez qu'après moi ;/Sinon, vous êtes mort [...]. » Après avoir levé ainsi le rideau sur le spectacle, le magicien-metteur en scène exige l'attention du public : « Faites-lui du silence et l'écoutez parler. » Le décor merveilleux, le contraste entre le fantastique de la grotte (« affreux séjour ») et la beauté des visions offertes par la baguette du magicien : tous ces éléments instaurent un climat de féerie propre à susciter l'émerveillement du spectateur. La stratégie est encore amplifiée à l'acte V, où Alcandre cherche à éblouir Pridamant, par des « effets plus beaux » et des « fantômes nouveaux » (v. 1339-1340).

Les réactions de Pridamant, quant à elles, évoquent l'effet de sympathie et d'adhésion que l'action des personnages sur scène doit produire aux « yeux étonnés » du spectateur (v. 1342). Corneille, avec Pridamant, met en évidence le fonctionnement de la représentation dramatique, le plaisir de la mystification, la force de l'illusion. Le théâtre exalte ainsi sa propre puissance en dévoilant les rapports entre la scène et la salle. Plusieurs interventions spontanées de Pridamant (« Hélas ! mon fils est mort ! », v. 977 ; « À la fin, je respire », v. 1331 ; « Hélas ! il est perdu ! », v. 1700 ; « Adieu, je vais mourir, puisque mon fils est mort », v. 1740) ponctuent la progression de l'action, et manifestent son implication dans les événements représentés. Comme spectateur s'identifiant à l'action, Pridamant vit véritablement l'alternance des épisodes heureux et malheureux, il ressent de l'inquiétude ou de la joie à chaque renversement de situation. Tout au long de la pièce, il est incapable d'interpréter les indices donnés par Alcandre à propos de son fils : son imagination est bien trop séduite et sa lucidité captivée par l'« illusion ».

Alcandre referme son piège ludique sur Pridamant et cherche à agir sur l'émotivité de son spectateur qu'il rassure d'abord. Par la suite, la fausse continuité entre l'acte V et les précédents, par des analogies évidentes de situation, prolonge l'illusion du réel dans l'illusion théâtrale et conduit Pridamant au paroxysme de la terreur. Efficacité suprême, c'est le théâtre qui permet la conversion du père à la fin de l'expérience de l'illusion : Pridamant est libéré de préjugés d'un autre âge car il a vécu intensément les passions dramatiques. On peut dire qu'il a vécu une sorte de *catharsis*. Ce terme grec, tiré de la *Poétique* d'Aristote, est interprété par les théoriciens classiques comme l'effet même de la représentation dramatique sur le spectateur. En effet, en donnant à voir les passions sur la scène, le théâtre permettrait, à celui qui assiste au spectacle, de prendre conscience de ses propres passions et de s'en libérer. Dans *L'Illusion comique*, c'est l'action du théâtre elle-même qui, couronnée et explicitée par le discours d'Alcandre, conduit son spectateur à céder rationnellement à l'art dramatique après lui avoir abandonné sa sensibilité. Nous assistons ainsi à une forme nouvelle de *catharsis*, qui libère Pridamant de ses mauvaises dispositions à l'égard de son fils et l'ouvre à la nouveauté de l'art dramatique.

L'éducation du spectateur

Corneille fait donc naître la vérité de l'illusion : Alcandre avait bien averti Pridamant de l'épreuve qu'il allait vivre : « Toutefois si votre âme était assez hardie,/Sous une illusion vous pourriez voir sa vie » (v. 149-150). Le père de Clindor a appris à franchir les frontières qui séparent le réel de l'imaginaire, à connaître les pouvoirs de l'apparence théâtrale, de l'imitation dramatique : « J'ai pris sa mort pour vraie, et ce n'était que feinte » (v. 1777). Et c'est pour lui qu'existe la tragédie insérée dans la fin du second niveau de la pièce : l'*Examen* justifie d'ailleurs cette structure par l'effet à produire sur le spectateur modèle qu'incarne Pridamant :

> Clindor et Isabelle, étant devenus comédiens sans qu'on le sache, y représentent une histoire qui a du rapport avec la leur, et semble en être la suite. Quelques-uns ont attribué cette conformité à un manque d'invention, mais c'est un trait d'art pour mieux abuser par une fausse mort le père de Clindor qui la regarde, et rendre son retour de la douleur à la joie plus surprenant et plus agréable (l. 20-26).

L'effroi est mis au service de l'allégresse et les différents niveaux du spectacle imposent le théâtre comme un art de la révélation, qui aide à penser et à vivre.

La modification du titre intervenue en 1660 (*L'Illusion comique* devenant *L'Illusion*) attire davantage encore l'attention sur cette apologie du théâtre, et nous invite à la réflexion sur l'utilité des procédés dramatiques. Cette réflexion existe dans la pièce elle-même, et le procédé du théâtre dans le théâtre produit des jeux de miroirs significatifs : la figure d'Alcandre donne la mesure des pouvoirs du dramaturge et du metteur en scène ; le rôle de Pridamant montre la force de l'illusion sur le spectateur qui assiste lui-même à *L'Illusion comique*. La fascination du père de Clindor pour la pièce intérieure ne peut que renvoyer favorablement à l'adhésion du spectateur à la pièce encadrante, un spectateur qui n'est pas toujours parvenu, tout comme Pridamant, à décrypter les implicites et les formules imprécises du magicien et qui a subi, tout comme lui aussi, le charme de la poésie dramatique. Et c'est ce spectateur, dernière cible de Corneille, dans lequel nous pouvons nous reconnaître, qui se trouve atteint par la force du plaidoyer d'Alcandre et par celle de la magie cornélienne.

GROUPEMENT DE TEXTES : JUGEMENTS CRITIQUES

TEXTE 12 • Jean Racine, discours à l'Académie française (1685)

Le 2 janvier 1685, le frère de Pierre Corneille, Thomas, est reçu à l'Académie française à la place de l'auteur de *L'Illusion comique*, mort en 1684. Voici un extrait de la réponse que Racine, grand rival de Corneille, fit à son discours de réception.

Vous, Monsieur, qui non seulement étiez son frère, mais qui avez couru longtemps la même carrière que lui, vous savez les obligations que lui a notre Poésie, vous savez en quel état se trouvait la scène française, lorsqu'il commença à travailler. Quel désordre, quelle irrégularité ! Nul goût,
5 nulle connaissance des véritables beautés du théâtre. Les auteurs aussi ignorants que les spectateurs. La plupart des sujets extravagants et dénués de vraisemblance. Point de mœurs, point de caractères. La diction encore plus vicieuse[1] que l'action, et dont les pointes et de misérables jeux de mots faisaient le principal ornement. En un mot, toutes les règles de l'art,
10 celles même de l'honnêteté et la bienséance partout violées.
Dans cette enfance, ou pour mieux dire, dans ce chaos du poème dramatique parmi nous, votre illustre frère, après avoir quelque temps cherché le bon chemin, et lutté, si j'ose ainsi dire, contre le mauvais goût de son

---

1. *Vicieuse* : défectueuse.

15 siècle, enfin inspiré d'un génie extraordinaire, et aidé de la lecture des Anciens, fit voir sur la scène la raison, mais la raison accompagnée de toute la pompe[1], de tous les ornements dont notre langue est capable, accorda heureusement le vraisemblable et le merveilleux, et laissa loin derrière lui tout ce qu'il avait de rivaux, dont la plupart désespérant de l'atteindre, et n'osant plus entreprendre de lui disputer le prix, se bornèrent à
20 combattre la voix publique déclarée pour lui, et essayèrent en vain par leurs discours et par leurs frivoles critiques de rabaisser un mérite qu'ils ne pouvaient égaler.

1. Analysez la construction de ce texte. Quelle logique préside à la succession des deux paragraphes ? Quel est le mouvement qui conduit à l'éloge ? Que peut-on en conclure sur les intentions de Racine et sur son habileté à les exprimer ?

2. Combien de périodes ce jugement distingue-t-il dans l'histoire du théâtre ? Quelles sont leurs caractéristiques respectives ? À laquelle de ces périodes *L'Illusion comique* peut-elle appartenir ? Justifiez votre réponse par l'analyse de traits précis de la pièce.

3. En quoi peut-on dire que le discours de Racine exploite les ressources de la rhétorique ? Vous analyserez en particulier son travail sur le rythme et les images.

TEXTE 13 • **Fontenelle, *Vie de Corneille* (1685)**

Homme de lettres et philosophe, Fontenelle (1657-1757) était aussi le neveu de Corneille. Il a publié une biographie de l'auteur de *L'Illusion comique* dont est tiré l'extrait suivant.

Ensuite il retomba dans la comédie, et, si j'ose dire ce que j'en pense, la chute fut grande. *L'Illusion comique*, dont je parle ici, est une pièce irrégulière et bizarre, et qui, par ses agréments, n'excuse point sa bizarrerie et son irrégularité. Il y domine un personnage de Capitan, qui abat d'un
5 souffle le grand Sophi de Perse et le Grand Mogol, et qui, une fois en sa vie, avait empêché le Soleil de se lever à son heure prescrite, parce qu'on ne trouvait point l'Aurore qui était couchée avec ce merveilleux brave. Ces caractères ont été autrefois fort à la mode : mais qui représentaient-ils ? à qui en voulait-on ? Est-ce qu'il faut outrer nos folies jusqu'à ce point-
10 là pour les rendre plaisantes ?

---

1. *Pompe* : éclat, faste.

1. Sur quel élément de *L'Illusion comique* cette critique se concentre-t-elle ? Peut-on la considérer comme objective ? Vous justifierez votre point de vue dans un paragraphe argumenté.

2. À quels passages précis de la pièce ce jugement fait-il ici référence ? Comment les évoque-t-il ?

3. Formulez une réponse argumentée et appuyée sur votre lecture de la pièce à la dernière question posée par Fontenelle.

TEXTE 14 ● François Guizot, *Corneille et son temps* (1852)

François Guizot (1787-1874) fut un important homme politique de la première moitié du XIXᵉ siècle. Il est également l'auteur de nombreux ouvrages historiques. Il cherche ici à situer les productions de Corneille dans leur contexte culturel et politique.

> Je ne parlerai pas de *L'Illusion comique*, dernier ouvrage de ce qu'on peut appeler la jeunesse de Corneille, et dans lequel, en prenant congé de ce goût bizarre qu'il devait bientôt anéantir, il s'y est laissé aller avec un abandon qu'on soupçonnerait presque de négligence, si le désir du succès avait jamais laissé Corneille négligent. Depuis *Médée,* de tels écarts n'étaient plus permis à Corneille ; et *L'Illusion comique* ne mériterait pas qu'on en fît mention si, par une bizarrerie remarquable, la date de sa première représentation ne donnait le droit de penser qu'au moment même où il s'égarait encore de la sorte, Corneille s'occupait déjà du *Cid*.

1. Quelle est la perspective adoptée ici par Guizot pour juger de *L'Illusion comique* ? Quelle unique valeur assigne-t-il à la pièce ? Pourquoi multiplie-t-il les négations dans ce jugement ?

2. Expliquez l'expression « goût bizarre » utilisée par l'auteur en identifiant précisément les éléments de la pièce auxquels elle peut s'appliquer.

3. Comment Guizot exprime-t-il ici son goût ? Vous rédigerez une lettre dans laquelle vous répondrez à cette critique en usant des mêmes procédés pour signifier votre position.

TEXTE 15 ● Théophile Gautier, article (1861)

Article paru dans *Le Moniteur universel*, 10 juin 1861.

Le poète Théophile Gautier (1811-1872) écrivit cette chronique à la suite d'une représentation de *L'Illusion comique*. Il y expose un point de vue romantique sur la pièce.

Ce qui surprend dans *L'Illusion comique* c'est l'aisance parfaite, la libre allure et le grand air du style. Du premier pas, Corneille atteignait la perfection. Quel vers charmant, le manteau sur l'épaule, la plume au feutre, l'épée au côté, prêt à dégainer la rapière ou à débiter des madrigaux, un
5 vers gentilhomme qui n'a rien de pédant, hautain comme le Cid, pica-resque comme Guzman d'Alfarache ; tantôt d'une simplicité pédestre, tantôt hissé sur l'emphase espagnole, plein, savoureux, coloré, et qu'il pourrait suffire à tout le théâtre moderne !

1. Quel est le sentiment traduit par ce texte ? Quelles formes syntaxiques emprunte-t-il pour s'exprimer ?

2. Choisissez un passage de *L'Illusion comique* qui illustre et confirme le jugement de Gautier sur les qualités du vers cornélien.

3. Poursuivez cet éloge en prenant le personnage de Clindor pour sujet et en adoptant les mêmes choix d'écriture que le critique romantique.

TEXTE 16 • Marc Fumaroli, « Rhétorique et dramaturgie dans *L'Illusion comique* » (1968)

Héros et Orateurs, Genève, Droz, 1968 pour la première publication, 1996.

Marc Fumaroli (né en 1932), membre de l'Académie française depuis 1995, étudie les rela-tions de la littérature et de la rhétorique. Il commente dans cette perspective la structure particulière de *L'Illusion comique*.

Au terme de cette analyse, une conclusion semble s'imposer : l'unité profonde de *L'Illusion comique* – chacune des facettes de ce château de miroirs renvoyant à ce point focal unique et central, l'esprit souverain d'Alcandre qui a organisé ce piège pour y prendre Pridamant et le conduire
5 au bonheur en compagnie de son fils. Unité de lieu, de temps et d'action, dans la mesure où l'on considère les « fragments dramatiques » comme les éléments d'une unique plaidoirie d'Alcandre se déployant librement avec toutes les ressources de l'art, mais à partir d'un lieu unique : la grotte ; d'un temps unique : le temps nécessaire pour persuader Pridamant ; et
10 selon une action unique : celle qui vise à faire coïncider dans l'avenir l'iti-néraire du père et celui du fils. Dans *L'Illusion comique*, la violence faite aux règles est elle-même une illusion d'optique : plus encore que dans *Clitandre*, Corneille déploie ici une virtuosité qui fait des règles celles d'un jeu supérieur, où la liberté du créateur s'exalte d'une discipline acceptée
15 non sans défi.

1. Quelle est l'intention de l'auteur de ce texte ? Que cherche-t-il à démon-trer ?

2. À quelle image l'auteur a-t-il recours pour défendre sa thèse ? En quoi s'accorde-t-elle particulièrement bien à la construction et au thème de *L'Illusion comique* ?

3. En vous appuyant sur des analyses précises de passages de la pièce, vous rédigerez une réfutation ordonnée de ce jugement. Vous soulignerez en particulier le caractère paradoxal que l'on peut reconnaître à la position de M. Fumaroli.

TEXTE 17 • **Georges Forestier, « Une dramaturgie de la gageure » (1984)**

Présence de Pierre Corneille, Paris-Rouen.

Dans ce passage, le critique s'interroge sur les conditions dans lesquelles *L'Illusion comique* a été conçue.

    En 1635, Corneille a dû se poser une question du même type, dont la formulation seule était différente : comment peut-on encore écrire une comédie avec capitan fanfaron ? C'était là un pari d'un genre bien particulier, et dont la réponse, à cette époque, ne devait pas aller de soi. Elle
5 apparaît pourtant clairement dans *L'Illusion comique*. Il a suffi à Corneille d'écrire une pièce où le fanfaron était *désigné* comme fanfaron théâtral, processus de distanciation [...] que permettait le procédé du théâtre dans le théâtre. Ainsi, Montdory [1] disposait d'une nouvelle « comédie des comédiens » au moment où il venait de reconstituer sa troupe, Bellemore avait
10 son rôle, et Corneille, loin de se renier, satisfaisait son goût de la gageure en composant cet « étrange monstre ».

1. Qu'est-ce qu'une « gageure » ? Comment comprendre que l'écriture de *L'Illusion comique* soit désignée par ce terme ?

2. Définissez l'effet de « distanciation ». Pourquoi l'emploi de ce terme est-il susceptible de faire apparaître la pièce sous un jour particulièrement « moderne » et neuf ?

3. *De l'ancien et du nouveau* : écrivez l'article d'un chroniqueur qui rende compte d'une représentation de *L'Illusion comique* et qui choisisse pour axe directeur de son commentaire ce thème de l'originalité appuyée sur la tradition.

---

1. *Montdory* : acteur célèbre et directeur de la troupe du Marais. Voir p. 115 et p. 117.

TEXTE 18 ● Jean Serroy, préface à l'édition de *L'Illusion comique* (2000)

Paris, Gallimard, coll. « Folio ».

Professeur d'université, Jean Serroy a édité de nombreux textes de l'âge classique. Il évoque ici le renouveau interprétatif dont bénéficie la pièce de Corneille.

> La part de démesure et de gonflement qui fait le Matamore de *L'Illusion comique* est en quelque sorte inhérente à l'héroïsme. Le dramaturge, en mettant bientôt ses vrais héros en scène, va les donner à voir en perspective avec les faux héros dont ils sont les frères : les tragédies se créent
> 5 sur fond de comédies. *L'Illusion comique*, en ce sens, par le glissement des genres qu'elle opère et par la figure emblématique de Matamore, le héros en creux, loin d'être une sorte d'anomalie inclassable dans l'œuvre, en offre au contraire comme le creuset matriciel.

1. Que signifie l'expression « creuset matriciel » ? Quel statut J. Serroy confère-t-il à *L'Illusion comique* dans la production cornélienne du point de vue chronologique et poétique ?

2. Comparez ce jugement avec les textes précédents de Fontenelle ou de Guizot. En quoi ce jugement témoigne-t-il d'un renouvellement radical de point de vue sur la pièce ? Comment l'auteur souligne-t-il ce changement ?

3. Qui sont les « vrais héros » évoqués par le critique ? À quelle œuvre postérieure de Corneille fait-il allusion ?

4. Vous rédigerez un éloge du personnage de Matamore. Vous mettrez particulièrement en relief la diversité et la richesse de ses apports au spectacle (mouvement, comique, couleur...).

TEXTE 19 ● Giorgio Strehler, préface à *L'Illusion comique* (1987)

Édition de G. Forestier, Paris, Livre de Poche (traduction de Myriam Tanant).

Le metteur en scène italien Giorgio Strehler (1921-1997) évoque les perspectives qui ont guidé sa mise en scène de *L'Illusion comique* au théâtre de l'Odéon à Paris, en 1984. Strehler, qui a choisi le texte original de 1639, mais a adopté le titre de 1660, *L'Illusion*, utilise une comparaison avec une autre pièce du répertoire, *La Tempête* de Shakespeare, pour expliquer son interprétation de l'œuvre de Corneille.

> Rien n'est resté hors de notre responsabilité, de notre histoire, pas même cette illusion de Corneille, choisie pour inaugurer le théâtre de l'Europe, et qui ouvre maintenant sa seconde saison. Ce spectacle, lui aussi, naît peut-être de l'illusion que le travail de théâtre puisse encore servir à
> 5 quelque chose pour l'homme. [...]

L'iridescence[1] de la poésie et le mystère de l'homme ne peuvent pas être approchés de trop près. Aussi suffirait-il de restituer un peu de cette non-couleur, de cette lumière-ombre, de cette musique-silence du chef-d'œuvre qui émanent de *L'Illusion* de Corneille pour accomplir pleinement notre
10 devoir d'interprètes et d'artistes. Pour le reste, avons-nous simplement réussi à donner aux gens au moins une étincelle de ce que nous avons cru comprendre et voir dans *L'Illusion* ? Rarement une entreprise s'est révélée plus difficile, plus tourmentée. Une, plus que les autres, me revient à l'esprit : *La Tempête* de Shakespeare. Dans cette œuvre, nous nous trouvions
15 devant une tragédie cosmique, nous sommes devant la profondeur abyssale des sentiments des hommes, devant l'ambiguïté suprême de l'Amour humain. Dans l'île de *La Tempête*, nous découvrions l'histoire du monde, de l'esclavage, de la liberté avec celle du théâtre. Dans *L'Illusion* on avance dans la pénombre des âmes, images de quelque chose d'autre, projetées
20 sur les murs d'une caverne (celle de Platon ?) ; on parle plus bas, et l'on murmure des choses grandissimes sur les hommes, les femmes, la vie, l'être et le paraître, et l'on parle aussi de l'histoire du théâtre, du théâtre comme instrument de connaissance et comme moyen « plus vrai » pour exister. Dans *La Tempête*, nous sommes devant le mystère de la lumière
25 du premier jour de la création ; dans *L'Illusion*, devant le mystère, dans le brun-violet d'un contre-jour, d'un contre-monde, d'un ultime coucher de soleil, ou de quelque nuit illuminée par une lune invisible. Ce n'est pas un hasard pour nous, si Corneille a imaginé ou voulu son illusion comme un spectacle « nocturne » d'ombres.
30 Mais les deux œuvres contiennent la même tension, on y trouve la même touche de génie, toujours imprévisible et bouleversante. Je crois vraiment que Corneille, dans sa maturité, à la fin de son histoire, a regardé son « étrange monstre » juvénile, comme il définit *L'Illusion*, avec une sorte d'étonnement, peut-être avec de la peur ou de la nostalgie, sûrement avec
35 une lucidité extrême et qu'en toute conscience, il a enlevé l'adjectif comique pour laisser sa force au mot illusion. Je crois que le poète en revoyant son œuvre avec recul s'est rendu compte qu'il avait écrit un poème dramatique sur l'illusion des êtres humains, et sur les rapports entre la réalité (ou la vérité) et la fiction (ou le mensonge) et non seulement sur
40 une illusion théâtrale, pour acteurs et spectateurs.
Aussi ce qui nous a le plus touché dans *L'Illusion*, n'est pas le retour d'un autre magicien, après Prospero de *La Tempête*, d'une autre grotte-théâtre, d'un drame sur le théâtre ou du théâtre (nous avons pratiqué ce

---

1. *Iridescence* : qualité de ce qui possède des reflets irisés, de ce qui présente les couleurs de l'arc-en-ciel.

jeu extrême dès notre jeunesse et même si nous sommes encore attaché à
45 son enchaînement d'émerveillements, la représentation de la comédie dans
la comédie, le rapport théâtre-vie, fiction-réalité ne nous surprend plus).
Non, dans *L'Illusion*, nous avons été frappé essentiellement par cette métaphore de la vie de l'homme qui utilise le théâtre pour une démonstration
poétique et bouleversante de la relativité des liens et des sentiments des
50 protagonistes des scènes du monde où se joue l'aventure humaine. Par ce
reflet de miroirs qui réfléchit éternellement la vie, qui pousse les acteurs
à s'aimer, à se trahir, à mourir « comme au théâtre » ; par la glorification
de nos contradictions et de nos incertitudes et du théâtre comme moyen
de connaissance ultime de l'homme.
55   Tout le reste, le contexte historique, la légitimation du théâtre, le plaidoyer sur le théâtre, sur sa moralité, sont pour nous des thèmes et des
accents secondaires eux aussi, peut-être, écrans illusoires pour attirer les
plus ingénus, comme si dans *L'Illusion* tout n'était que là. Car en définitive, *L'Illusion* nous apparaît comme une œuvre profonde, obscure,
60 tragique, angoissante, pessimiste, même si elle est auréolée d'une sorte
de légèreté poétique, d'une apparente douceur et même d'une ivresse de
l'amour. Qu'est-ce que *L'Illusion* sinon une passion d'amour, sinon une
série continue d'histoires d'amour et d'identités qui s'enchaînent les unes
dans les autres pour créer un univers de passions subtilement variées, écrites
65 avec la plus suprême élégance de style, inventées à chaque page, et à chaque
instant laissées toujours en suspens, dans une incertitude où semble se
réfléchir une inquiétude invisible qui nous entoure et qui nous fait mieux
reconnaître notre fragilité, au seuil du mystère de la vie. […]

1. Comment ce texte parvient-il à exprimer à la fois la puissante ambition
et l'inévitable pauvreté de l'entreprise qui vise à mettre en scène un texte
de théâtre ?

2. Giorgio Strehler reconnaît dans l'œuvre de Corneille un certain climat :
relevez les différents éléments qui permettent de décrire et de caractériser précisément cette atmosphère.

3. Étudiez les indices de l'énonciation (marques de personne, repères de
temps et d'espace) dans ce texte. Comment la subjectivité de l'auteur s'af-
firme-t-elle dans son interprétation de *L'Illusion comique* ?

4. Quelle est la thèse essentielle défendue par Giorgio Strehler ? Comment
comprend-il *L'Illusion comique* ? Quelles sont les interprétations tradition-
nelles de la pièce qu'il réfute ? Quelle expérience humaine la pièce traduit-
elle selon lui ?

5. Quelle est l'utilité de la comparaison avec *La Tempête* de Shakespeare ? Comment permet-elle à l'argumentation de progresser ?

6. D'après le dernier paragraphe de ce texte, quel est le sens ultime de la pièce de Corneille ? La pièce peut-elle effectivement favoriser une telle interprétation à vos yeux ? pourquoi ?

7. Quels choix concrets de mise en scène pourraient découler d'une telle compréhension de l'œuvre ? Vous réfléchirez en particulier sur les conditions d'éclairage de la scène et sur le décor susceptibles de souligner au mieux l'interprétation du metteur en scène.

8. Comment l'auteur suggère-t-il que *L'Illusion comique* ouvre à une riche réflexion sur le théâtre lui-même ? En quoi consiste le principal pouvoir de fascination de cet art pour le metteur en scène ?

SUJETS

INVENTION ET ARGUMENTATION

Sujet 1

À la scène 3 de l'acte I, Alcandre fait à Pridamant le récit des aventures de Clindor en précisant : « Sans vous faire rien voir, je vous en fais un conte/Dont le peu de longueur épargne votre honte. » Vous développerez le récit abrégé du magicien en une narration, en prose, plus détaillée, qui renseignera sur les rencontres qu'aurait pu faire Clindor, les lieux qu'il aurait fréquentés, les sentiments qu'il aurait éprouvés. Vous tiendrez compte de la veine picaresque que Corneille a choisie pour faire le portrait de son personnage.

Sujet 2

Lors de la scène finale, Pridamant, convaincu du bien-fondé du choix de son fils, décide d'aller le rejoindre à Paris. Écrivez le dialogue de ses retrouvailles avec Clindor. Vous prendrez soin de placer dans ce dialogue en prose le récit, par Pridamant lui-même, de la manière dont il a retrouvé son fils. Vous serez également attentif à restituer les émotions qu'une telle rencontre peut provoquer chez les deux personnages.

Sujet 3

Écrivez le monologue de Matamore en proie à la faim, monologue qui précéderait la scène 4 de l'acte IV. Vous chercherez à pasticher en prose son style habituel, emphatique et hyperbolique, sa verve comique, son usage des images et de la fantaisie verbale.

Sujet 4

Le texte de 1639 de *L'Illusion comique* présente peu d'indications scéniques rédigées de la main de Corneille. Sous forme de didascalies, précisez la mise en scène possible de la scène 7 de l'acte II entre Adraste et Lyse ou de la scène 9 de l'acte III entre Matamore et Clindor. Vous veillerez à ce que ces indications soient aptes soit à signifier les sentiments et les intentions de chaque personnage dans l'échange entre le rival et la servante, soit à rendre les étapes de la défaite de Matamore face à Clindor.

Sujet 5

Le dénouement heureux de la pièce est acquis à partir du moment où Alcandre fait voir, derrière un rideau, la véritable destinée de Clindor. Imaginez qu'une autre scène apparaisse et rédigez, en prose, un dénouement différent en fonction du sort que vous aurez choisi pour les personnages et de la nouvelle nature générique de la pièce.

Sujet 6

À la fin de la scène 5 de l'acte V, qui se situe dans le troisième niveau d'illusion dramatique, Isabelle-Hippolyte est conduite par Éraste chez le prince Florilame, épris de ses « charmes ». Vous rédigerez la tirade qu'elle pourrait prononcer devant ce prince : vous pourrez en particulier construire ce discours sur le dilemme qui se présente à Isabelle-Hippolyte, sommée de choisir entre l'attachement à son époux défunt et la poursuite de sa propre fortune.

Sujet 7

L'Illusion comique questionne le statut du spectateur représenté par Pridamant. Imaginez-vous à la place d'un de ces spectateurs qui expérimente le pouvoir de l'« illusion » et écrivez une lettre dans laquelle il raconte les données de l'action, sa progression, qui décrit les personnages principaux, qui donne ses impressions subjectives, émet des jugements de goût, des préférences, des critiques sur la pièce et qui conseille ou déconseille le spectacle à son destinataire.

Sujet 8

Assister à *L'Illusion comique* conduit Pridamant à admettre l'« éclat, l'utilité, l'appas » de la comédie. À partir de votre propre expérience de lecteur de pièces dramatiques et de spectateur, vous rédigerez un éloge du spectacle théâtral qui cherchera à établir son rôle et son profit pour nos contemporains.

COMMENTAIRES

Sujet 9

TEXTE 20 • *L'Illusion comique*, acte II, scène 5

Jugez plutôt [...] souffrez que je l'évite.

> VERS 477-518, PAGES 33-34

Une déclaration paradoxale

Après avoir répondu aux questions suivantes, vous commenterez cette scène en mettant en valeur son intérêt pour la progression dramatique, pour la construction psychologique des personnages et enfin pour la définition du personnage cornélien.

1. Matamore vient de laisser Isabelle en présence d'un rival qu'il ignore. Il reste le sujet de la conversation qui commence entre Clindor et Isabelle. Comment s'effectue le passage du trio au duo ? Par quelles étapes le dialogue passe-t-il pour progresser vers plus d'intimité avant d'être interrompu par un autre rival ?

2. À partir de l'étude du vocabulaire amoureux utilisé dans le dialogue entre Clindor et Isabelle, précisez l'image que chacun des amoureux donne de lui-même. Comment Isabelle conçoit-elle la relation amoureuse ?

3. Cette scène développe plusieurs révélations successives : lesquelles ? Vous pourrez préciser notamment ce qu'elle nous apprend concernant Matamore, Isabelle, et Clindor lui-même.

4. Les rapports entre Isabelle et Clindor peuvent-ils être qualifiés de francs ? pourquoi ? Dans quel rôle Clindor s'enferme-t-il ? Analysez en particulier la place des stéréotypes baroques dans ses répliques.

5. Les deux amants semblent unis par la même quête ; en s'affranchissant, l'un de l'autorité de son père, l'autre de la rigueur du « sort », que recherchent-ils ? Quel est le rôle de la volonté dans leur démarche ?

Sujet 10

TEXTE 21 • *L'Illusion comique*, acte III, scène 4

Respect de ma maîtresse [...] cette canaille sorte.

> VERS 735-762, PAGES 46-47

L'illusion héroïque

Après avoir répondu aux questions suivantes, vous commenterez cet extrait en soulignant les traits caractéristiques de cette scène de comédie, en analysant les effets de la duplicité des deux personnages, et en étudiant enfin les ambiguïtés de l'écriture de Corneille oscillant entre comique et sérieux.

1. En quoi cette scène constitue-t-elle la conclusion d'un mouvement dramatique commencé au début de l'acte III ? Quelle information importante apporte-t-elle aux spectateurs sur l'évolution probable des relations entre les personnages ?

2. Examinez le style de la première réplique de Matamore ; identifiez les effets qui se rattachent à l'exagération et permettent de servir le comique de mots. Quel est le rôle des apostrophes ?

3. Dans les scènes qui unissent Clindor et Matamore, quelle est la stratégie de Clindor ? Montrez en particulier le décalage comique entre les initiatives conseillées par Clindor et le repli stratégique que lui oppose toujours son maître. À quel type de comique avons-nous affaire ?

4. À la fin du passage, la tension dramatique monte : pourquoi le spectateur peut-il être inquiet pour Clindor ? En quoi le vers 759 permet-il ce passage du comique au dramatique ?

5. Matamore a coutume de vivre dans un monde imaginaire dont ses discours manifestent la vanité. Examinez le rôle de l'énumération dans la deuxième tirade : en quoi peut-on parler d'écriture baroque ? Le discours de Matamore peut-il pourtant se réduire à l'expression d'une folie ? Vous montrerez en particulier que l'exubérance du discours s'associe à une argumentation ordonnée.

Sujet 11

TEXTE 22 • *L'Illusion comique*, acte III, scène 6

> L'ingrat ! [...] assurez mon honneur.

> VERS 815-852, PAGES 50-51

Le monologue de Lyse

Après avoir répondu aux questions suivantes, vous commenterez cet extrait en mettant notamment en évidence la tension qui structure ce monologue, pris entre la rigueur d'une argumentation ferme et claire et l'émotion qui entrave la lucidité.

1. Comment Lyse montre-t-elle que l'argumentation précédemment développée par Clindor ne l'a pas convaincue ?

2. Le monologue porte aussi sur l'avenir : il est donc le moment du choix et de l'élaboration des stratégies. Comment le mouvement du texte reflète-t-il l'hésitation de Lyse ?

3. À qui ce monologue s'adresse-t-il successivement ? Quel en est le destinataire principal ? Vous analyserez en particulier le jeu des pronoms personnels et celui des modes verbaux.

4. Dans l'*Examen* de 1660, Corneille note que « Lyse en la sixième scène du troisième acte semble s'élever un peu trop au-dessus de son caractère de servante ». À quel genre dramatique se rattache en effet l'écriture de ce passage ?

5. Comment Corneille inscrit-il le futur revirement de Lyse dans sa délibération ? Quel est l'enjeu dramaturgique d'une telle préparation ?

Sujet 12

TEXTE 23 • *L'Illusion comique* acte V, scène 3

> Vous fuyez, ma Princesse [...] pour te posséder.

> VERS 1393-1432, PAGES 81-83

Soupçons tragiques

Après avoir répondu aux questions suivantes, vous commenterez cet extrait en étudiant le traitement de la relation amoureuse (rôle de la surprise initiale, sens des rapprochements à opérer avec l'univers tragique, conceptions de l'amour auxquelles se rallient les personnages).

1. Le quiproquo initial : pourquoi peut-on dire que Corneille, en accentuant les traits du discours de Clindor-Théagène, joue sur l'ironie dramatique ? Quel personnage est alors dans l'illusion ? Quelle image exprime l'aveuglement de ce personnage ?

2. Quelle est l'argumentation déployée par le réquisitoire d'Isabelle-Hippolyte ? Vous étudierez en particulier le contenu et la succession des reproches, ainsi que la variété des procédés oratoires qui soutiennent l'expression de l'indignation de l'épouse trompée.

3. Pourquoi cette scène relève-t-elle de l'esthétique tragique ? Analysez notamment l'évocation du temps, l'usage et la tonalité des images, le recours à l'antithèse pour souligner la dignité du discours des personnages.

4. Comment et par quels indices Corneille parvient-il à entretenir une continuité entre l'histoire de Clindor et d'Isabelle et celle de Théagène et Hippolyte ? Quel effet cette scène peut-elle avoir sur Pridamant ?

DISSERTATIONS

Sujet 13

Antonin Artaud, dramaturge et théoricien du théâtre, écrit dans le recueil *Le Théâtre et son double* : « Voilà, il me semble, ce qui plus que toute autre chose est une vérité première : c'est que le théâtre, art indépendant et autonome, se doit pour ressusciter, ou simplement pour vivre, de bien marquer ce qui le différencie d'avec le texte, d'avec la parole pure, d'avec la littérature, et tous autres moyens écrits et fixés. »

Vous rédigerez un développement composé qui mènera une enquête argumentée et critique sur ce jugement au regard de vos propres lectures.

▨ Pour répondre

Vous pourrez vous interroger notamment, pour rédiger ce développement, sur le ton adopté par Antonin Artaud pour énoncer la « vérité première » du théâtre ainsi que sur le lexique qu'il choisit pour formuler son jugement. Vous pourrez également enrichir votre analyse par une réflexion sur les fonctions respectives de l'écrivain dramaturge et du metteur en scène ainsi que sur les relations qu'ils peuvent entretenir à l'occasion de la représentation scénique. Votre travail cherchera ainsi à apprécier, alternativement, le rôle de la mise en scène et celui du texte dramatique dans la représentation théâtrale. Cette confrontation, appuyée sur des exemples tirés de l'histoire du théâtre, vous permettra de dégager une position plus nuancée que celle d'Artaud, qui prendra aussi en compte l'appartenance du genre théâtral à l'écriture et à la littérature.

Sujet 14

À un journaliste qui lui demandait si on pourrait arriver à une définition du comique, le dramaturge Eugène Ionesco répondit : « Oui, je crois que c'est une autre face du tragique » (*Notes et Contre-Notes*).

Vous rédigerez un développement composé qui rendra compte de votre effort pour comprendre et discuter cette réponse à la lumière de vos lectures inscrites dans les registres tragique et comique.

■ Pour répondre

Pour rédiger ce développement, votre réflexion pourra prendre en compte la notion de genre pour confronter ses enjeux au jugement de Ionesco. Elle pourra également chercher à préciser les conséquences d'une telle position pour la définition du registre comique, ses manifestations et ses effets sur le lecteur ou sur le spectateur.

Vous pourrez organiser votre parcours selon un questionnement progressif qui se consacrera tout d'abord à examiner ce renversement possible du comique au tragique du point de vue thématique ou structurel ; vous pourrez alors confronter cette position de Ionesco à la codification traditionnelle des genres et à son rôle dans l'histoire littéraire ; cette opposition devrait vous permettre d'affiner votre propos et de redéfinir la valeur spirituelle commune à ces notions de registres tragique et comique.

BIBLIOGRAPHIE

Éditions

L'édition de référence qui reproduit le texte originel de 1639 est celle de Robert Garapon (Paris, STFM, Nizet, 1957 pour la première édition). L'édition des *Œuvres complètes*, par Georges Couton, à la « Bibliothèque de la Pléiade » (Paris, Gallimard, 1980 et 1984) offre également un accès très sûr au texte de *L'Illusion comique*. Enfin, pour une édition pratique, l'on peut avoir avantageusement recours à celle de Georges Forestier, en Livre de Poche (Paris, 1987) qui suit les principes de R. Garapon et propose un dossier critique riche et soigné.

Études

• Quelques ouvrages sur le baroque

CHÉDOZEAU Bernard, *Le Baroque*, Paris, Nathan, 1989.

DUBOIS Claude-Gilbert, *Le Baroque. Profondeurs de l'apparence*, Paris, Hachette, 1973.

RAYMOND Marcel, *Baroque et Renaissance poétique*, Paris, Corti, 1955.

ROUSSET Jean, *La Littérature de l'âge baroque en France. Circé et le Paon*, Paris, Corti, 1954.

SOUILLER Didier, *La Littérature de l'âge baroque en Europe*, Paris, PUF, 1988.

• Sur Corneille et *L'Illusion comique*

ALCOVER Madeleine, « Les lieux et les temps dans *L'Illusion comique* », dans *French Studies*, 30, n° 4, 1976, p. 393-404.

CONESA Gabriel, *Pierre Corneille et la naissance du genre comique*, Paris, SEDES, 1989.

COSNIER Colette, « Un étrange monstre : *L'Illusion comique* » dans *Europe*, 52, n° 540-541, 1974, p. 103-113.

Corneille comique, études réunies par Milorad R. Margitic, *Papers on French Seventeenth Literature*, Biblio 17, 1982 et notamment : « Modes de théâtralité dans *L'Illusion comique* », Ralph Albanese, p. 129-150.

COUTON Georges, *Corneille*, Paris, Hatier, coll. « Connaissance des Lettres », 1958.

CUCHE François-Xavier, « Les trois illusions dans *L'Illusion comique* » dans *Travaux de linguistique et de littérature*, 9, n° 2, 1971, p. 65-84.

DORT Bernard, *Pierre Corneille dramaturge*, Paris, L'Arche, 1957.

DOUBROVSKY Serge, *Corneille et la dialectique du héros*, Paris, Gallimard, coll. « Tel », 1963.

FORESTIER Georges, *Le Théâtre dans le théâtre sur la scène française du XVIIe siècle*, Genève, Droz, 1981.

FUMAROLI Marc, « Rhétorique et dramaturgie dans *L'Illusion comique* » (1968 pour la 1re publication), dans *Héros et Orateurs*, Genève, Droz, 1996.

GARAPON Robert, *Le Premier Corneille*, Paris, SEDES, 1982.

LITMAN Théodore A., *Les Comédies de Corneille*, Paris, Nizet, 1981.

BIBLIOGRAPHIE

MAURENS Jacques, *La Tragédie sans tragique,* Paris, Armand Colin, 1966.

NADAL Octave, *Le Sentiment de l'amour dans l'œuvre de Pierre Corneille*, Paris, Gallimard, 1948.

RICHARD Annie, *L'Illusion comique de Corneille et le baroque : étude d'une œuvre dans son milieu*, Paris, Hatier, 1972.

SCHERER Jacques, *La Dramaturgie classique en France*, Paris, Nizet, 1950.

STEGMANN André, *L'Héroïsme cornélien. Genèse et signification*, Paris, Armand Colin, 1968.

SWEETSER Marie-Odile, *La Dramaturgie de Corneille*, Genève, Droz, 1977.

VOLTZ Pierre, *La Comédie*, Paris, Armand Colin, 1964.

Sites Internet

Il peut être intéressant de visiter quelques sites internet pour enrichir cette approche de l'œuvre de Corneille :

– le site de la Comédie-Française http://www.comedie-francaise.fr fournit des renseignements sur la biographie du dramaturge et sur la fortune de ses œuvres ;

– sur http://www.theatrehistory.com et sur http://www.lafontaine.net/corneille.htm, on trouve également des informations sur le contexte culturel dans lequel Corneille a exercé son art ;

– le site http://poesie.webnet.fr présente enfin un aspect souvent méconnu du dramaturge en donnant accès à quelques exemples de son œuvre de poète.

COLLECTION CLASSIQUES & CIE

Achevé d'imprimer par Maury Imprimeur à Malesherbes (FRANCE)
Dépôt légal N° 73937-8 / 08 - Mars 2010
N° d'imprimeur : 154122